COLLECTI
GÉRA
FRANÇ
ALA
GASTO

JOURNAL DÉNOUÉ

Fernand Ouellette

JOURNAL DÉNOUÉ

ESSAI

préface de Gilles Marcotte

l'HEXAGONE

Éditions de l'HEXAGONE
900, rue Ontario est
Montréal, Québec H2L 1P4
Téléphone: (514) 525-2811

Maquette de couverture: Jean Villemaire
Illustration de couverture: Jean-Paul Jérôme, *La Forêt de l'ermite*, 1980
acrylique sur toile de lin, collection particulière

Photocomposition: Atelier LHR

Distribution: Québec Livres
4435, boulevard des Grandes-Prairies
Saint-Léonard, Québec H1R 3N4
Téléphone: (514) 327-6900, Zénith 1-800-361-3946

Réplique Diffusion
66, rue René-Boulanger, 75010 Paris, France
Téléphone: 42.06.71.35

Édition originale
Fernand Ouellette, Journal dénoué
Les Presses de l'Université de Montréal, 1974

Dépôt légal: premier trimestre 1988
Bibliothèque nationale du Québec
Bibliothèque nationale du Canada

TYPO
Édition revue et corrigée

ISBN 2-89295-017-1

PRÉFACE

Quand paraît en 1974 le *Journal dénoué* de Fernand Ouellette, il n'a pas de quoi déconcerter, semble-t-il, le lecteur qui a connu les dernières années de la «grande noirceur» et les effets de la Révolution tranquille. Un jeune homme, élevé dans la serre chaude du catholicisme institutionnel, se croit voué à une grande destinée spirituelle et se prépare à devenir religieux, capucin, en étudiant au Collège séraphique d'Ottawa. Il y a, en effet, du séraphique en lui: le monde matériel existe à peine à ses yeux et il lui paraît que les corps ne sont faits que pour être aussitôt sublimés, transportés sur quelque autre plan de réalité. Il s'était donné aussi complètement que possible au célibat et à la pauvreté sous toutes ses formes, et quel mystérieux instinct l'avertit tout à coup qu'il fait fausse route, qu'il ne trouvera pas au Collège séraphique cela même pour quoi il y était entré? Le voici donc revenu à Montréal, ayant tout à apprendre. Il croyait pouvoir se passer de la chair; il la découvre avec ivresse, dans les livres aussi bien que dans la vie. Il devient à lui-même son propre collège, se donne des programmes de lecture qui n'ont guère à voir avec ce que lui proposaient ses professeurs. Aussi bien ne peut-il que s'éloigner de l'Église, et il cessera bientôt toute pratique religieuse. Il se libère, dirons-nous pour reprendre l'expression obligée et suivre l'auteur lui-même dans la description qu'il fait de son évolution. Il accède à la maturité, il devient vraiment adulte. Le jeune homme timide, le rêveur, l'«ange de sang», selon le titre de son premier recueil de poèmes, s'intéressera même à la dimension sociale du problème humain, non seulement dans son milieu mais également sur le grand théâtre de l'actualité internationale.

Journal dénoué: journal d'un dénouement, d'une libération, d'une ouverture. À combien d'exemplaires le cheminement décrit par Fernand Ouellette n'a-t-il pas été vécu, durant les années parcourues par son livre? Il s'agissait, n'est-ce pas, de jeter aux orties tout un système d'empêchements, d'interdits et de céder séance tenante aux invites de l'existence, de vivre pleinement sa vie. Mais, pour peu qu'on le lise avec attention, le *Journal dénoué* présente de singulières anomalies par rapport à ce schéma de libération. Celui qui lit passionnément Henry Miller, qui entre en correspondance avec lui et célèbre à sa suite les gloires de l'érotisme, se propose en même temps la fidélité amoureuse. Il s'éloigne de la pratique religieuse? Sa foi dans le Christ n'en devient, semble-t-il, que plus vive. Loin de s'abandonner aux sollicitations d'un agnosticisme paisible, il laisse s'exaspérer son mysticisme et les critiques de *La Barre du Jour* auront beau jeu, durant les années 1970, de l'accuser d'idéalisme. Impossible de faire de l'auteur du *Journal dénoué* un progressiste bon teint, un moderne selon les définitions convenues; impossible aussi bien de le rejeter dans les ténèbres extérieures du conservatisme si l'on pense à ses amitiés avec Henry Miller, Pierre Jean Jouve et Edgard Varèse, aux poèmes de *Dans le sombre* et à tant de prises de position éclatantes, par exemple sur la lutte des langues au Québec, le terrorisme, les dictatures de droite et de gauche. Fernand Ouellette est un véritable témoin du Québec de la Révolution tranquille dans la mesure où, effectuant une libération qui est pour les traits généraux celle de toute une génération, il n'accepte pas d'y engloutir toutes ses valeurs personnelles et de se résigner aux petites libertés qui parfois tinrent lieu de pensée et de croyance durant cette époque. Son histoire n'est pas celle de la commune mesure; elle est exemplaire, outrageusement personnelle, bien décidée à trouver son propre chemin dans les remous de l'histoire. Il y a plus d'une façon de faire la révolution, tranquille ou non. On peut sortir de la maison, mettre la clef sur la porte, s'en aller sur la pointe des pieds en laissant peut-être à l'intérieur une bombe à retardement. On peut aussi décider de la transformer, sommer la tradition de donner ses raisons, réinventer les intentions qui la créèrent et qu'elle a laissées s'affadir. La fidélité amoureuse dont parle Fernand Ouellette, on en conviendra, ne ressemble pas plus au divorce à la demande qu'aux habitudes matrimoniales célébrées par les idéologues du mariage chrétien, et sa foi n'a rien d'une procession de la Fête-Dieu. Le texte que nous avons sous les yeux nous montre que le combat mené par Fernand Ouellette est peut-être le plus dur, qui vise à faire renaître les réalités sous les étiquettes défraîchies. Comment faire l'expérience de la foi dans un milieu qui ne semble en avoir que pour la croyance? Comment vivre la fidélité quand tout, autour de soi, la confond avec l'immobilisme, le sacrifice des ambitions les plus légitimes de la personne?

On pensera aux écrivains de la revue *La Relève*, les Saint-Denys Garneau, les Jean Le Moyne, les Robert Élie, qui durant les années trente se posaient des questions semblables. Mais Fernand Ouellette ne se reconnaît pas chez ces aînés, et on lit même dans le *Journal dénoué* des phrases très dures sur le poète du groupe,

Saint-Denys Garneau, un refus terriblement décidé, presque violent, qui est chez lui assez exceptionnel: «Dès ma première lecture de Saint-Denys Garneau, j'avais réagi contre lui. C'était un poison dont je ne voulais guère. Je crois que mon refus instinctif de ce poète était le signe d'une évolution significative. Tout confirma par la suite sa concrétion et son irréversibilité. Tout, s'il le fallait, plutôt que l'échec de Saint-Denys Garneau. Il valait mieux plonger aux enfers. Il valait mieux que la femme m'amputât de mes ailes. Il valait mieux tout remettre en question. Tout, excepté cette incapacité de vivre.» Je ne suis pas sûr qu'aujourd'hui Fernand Ouellette rejetterait avec la même violence l'œuvre de Saint-Denys Garneau, mais il ne pourrait pas désavouer les raisons qui l'amenèrent autrefois à s'en éloigner. Tout ce qui présentait, ne fût-ce que l'apparence de la demi-vie, de la mutilation par la peur, du sacrifice irraisonné de l'énergie amoureuse devait être rejeté sur-le-champ, sans réserves. Il fallait vivre pleinement et sa vie et son œuvre, et surtout ne pas sacrifier la première à la seconde. À cet égard, Fernand Ouellette est le parfait représentant d'une génération — disons celle de l'Hexagone mais donnons-lui d'assez larges dimensions — qui, au cours des années cinquante, rêve d'action, de construction, de durée; mais ce rêve, il le trahit d'autre part par l'excès du désir, qui le fait sans cesse dépasser le but. Il est celui qui en fait toujours trop, et c'est peut-être dans son rapport à la culture que les effets de ce débordement sont le plus visibles. Bien que les lectures dont il nous entretient dans le *Journal dénoué* soient en partie exigées par ses travaux pour Radio-Canada, la façon dont elles se succèdent et s'accumulent dans le *Journal dénoué* donne l'impression d'une voracité jamais satisfaite: «Puis j'ai lu Rilke, Charles Cros, Milosz, Élie Faure, la correspondance d'Héloïse et d'Abélard, les

Hymnes et *Élégies* de Hölderlin»; «Après Neruda, je passai...»; «À la fin de 1957, je me tournai vers l'œuvre de Blaise Cendrars»; «Après la rédaction d'essais sur Léon Bloy et T.S. Eliot, je commençai une lecture de Maïakovski, Tagore et Neruda»; «Après une étude de Drieu la Rochelle, je passai à l'œuvre de James Joyce»; «En septembre 1963, je commençai une lecture des œuvres de Kierkegaard»; «Après avoir lu *La Source grecque* de Simone Weil...» Tous les noms qu'il cite dans le *Journal dénoué* ne constituent pas la bibliothèque la plus personnelle de Fernand Ouellette, mais ils désignent à tout le moins le niveau où il désire se mouvoir, travailler, vivre. Au Québec, il a des amis, dont il recueille soigneusement les noms; mais quand il lit, c'est avec les plus grands de la littérature occidentale qu'il a commerce: avec un Kierkegaard par exemple qu'il commente durant plusieurs pages, nous offrant là un modèle particulièrement éloquent du genre de lecture qu'il aime pratiquer, une lecture dialoguée, *à partir de*, plus passionnée qu'analytique, par laquelle il cherche à se reconnaître lui-même dans l'autre plutôt qu'à résumer simplement une pensée. Mais j'y reviens, ce qui étonne particulièrement dans ces comptes rendus de lectures, et bien qu'elles soient pour une part commandées, c'est la quantité, c'est la fringale. On ne soupçonnera pas Fernand Ouellette de vouloir faire de l'épate, comme tel autre écrivain québécois que je lisais récemment, distribuant à pleines pages des noms d'écrivains, peu connus de préférence. En cette matière comme dans toutes les autres il est d'une franchise, voire d'une candeur totales. Il nous dit: voyez comme j'ai dû lire, lire et je n'ai pas encore fini, pour me donner le droit et les moyens de penser, pour devenir un poète, un intellectuel, un homme. Il y a là une apparence de paradoxe: voici quelqu'un qui nous annonce son intention bien arrêtée d'échapper aux pièges de l'angélisme, de l'abstraction et qui n'a rien de plus pressé que de se plonger dans les livres! Mais ce paradoxe n'existe qu'en regard d'une conception dichotomique de l'esprit et de la chair, de la nature et de la culture, que Fernand Ouellette ne reconnaît évidemment pas. La culture, la grande culture comme on l'appelle dans certains milieux avec un sourire en coin, est pour lui une des conditions essentielles de son humanisation. Il ne la cache pas sous le boisseau; il la montre, il s'en sert, il la communique. Elle lui a coûté très cher. Elle ne lui est pas venue en héritage. Il a dû la conquérir, livre après livre. Cela ne s'oublie pas.

Aussi bien le voit-on dévoré d'impatience, comme s'il était toujours menacé de retomber dans une sorte de disette première. Il est assez rare que le rythme du texte se relâche pour suggérer des arrêts, des plages méditatives. L'auteur du *Journal dénoué* est l'homme de la fulgurance plutôt que celui de la méditation lentement poursuivie. Le temps qu'il a passé, dans la réalité, à lire, à prendre des notes, à réfléchir se contracte dans son livre au point de donner l'impression d'une hâte fébrile. Il semble être toujours sur le point de passer à autre chose. Combien de fois le mot «aussitôt» ne revient-il pas sous sa plume! «Au mois de mars, j'écrivais ma première lettre à Miller et il me répondit. Cet échange de lettres dura environ six ans. Presque aussitôt je relus son œuvre en prenant deux cents pages de notes.» Même soudaineté dans l'ouverture des rapports avec le musicien Edgard Varèse: «En avril 1957, je reçus le choc de l'œuvre de Varèse. C'est Henry Miller qui, par les pages passionnées de son *Cauchemar climatisé*, me donna le besoin d'aller à Varèse. Ayant reçu, grâce à Miller, l'adresse du compositeur, j'écrivis à celui-ci afin qu'il m'envoie son premier microsillon. Ce qu'il fit aussitôt.» Sur Varèse, encore: «Je fus fasciné par sa personnalité, comme je l'avais été par sa musique. J'eus aussitôt l'idée d'un numéro spécial de la revue *Liberté*, qui lui serait consacré.» Imagine-t-on ce qu'il fallait d'audace à un jeune Québécois de l'époque pour entreprendre de telles démarches, pour se lancer dans une entreprise aussi délicate et complexe qu'une biographie de Varèse? Une bonne dose de naïveté aussi, sans doute. Là-dessus, Fernand Ouellette fera toutes les confessions qu'on voudra. «Comprimé entre l'extase et l'opacité, écrit-il, j'ai appris à me moquer de la crainte du ridicule. J'ai habitué mon intelligence à faire des sauts, à prendre des risques, à marcher comme un funambule.» On peut sourire parfois devant certains accès de candeur de l'écrivain, lorsqu'il roule à tombeau ouvert sur les autoroutes de la culture ou qu'il évoque les émois de la chair; mais peut-on être sûr qu'il ne l'ait pas fait avant nous et qu'il soit inconscient des risques qu'il prend en abattant son jeu de cette façon? Fernand Ouellette, dans le *Journal dénoué*, occupe toute la scène. Il pourrait sans doute, s'il le voulait, se dissocier du jeune homme qu'il fut, et dont il cite longuement le journal — car le livre s'écrit à deux niveaux, celui du récit autobiographique rédigé à quarante ans et celui du journal intime de la vingtaine —, mais il a décidé une fois pour toutes d'être entièrement lui-même et de s'accepter dans tous ses âges, toutes ses errances ou ses erreurs. «J'acceptais, écrit-il, mon *innocence*.» Cette phrase est pour moi la phrase-clé du livre, la plus audacieuse, la plus fracassante si je puis dire. Là se brise le miroir de Narcisse, qui est l'accessoire obligé de tout écrit sur soi. L'*innocence* dont il est question dans cette phrase n'a rien à voir avec quelque sentiment de paradis qui ferait l'économie de la responsabilité, de la faute; on sait à quelle profondeur l'auteur du *Journal dénoué* se laisse atteindre par le mal du monde. Elle est l'autre nom d'une intégrité de l'être qui se reconnaît moins comme une conquête, une fabrication personnelle, que comme un don. J'«acceptais», dit-il. Cela suppose un désistement, un *vœu de pauvreté* dont Fernand Ouellette avait rencontré la forme radicale chez saint François d'Assise, et qui est bien le sacrifice le plus lourd qui soit demandé à un jeune Québécois nourri dans le sérail de la culpabilité. Quand on s'accepte ainsi, dans une telle *innocence*, on peut discuter d'égal à égal avec Kafka ou Kierkegaard, correspondre avec les grands créateurs de ce monde, Miller, Jouve, Varèse, sans craindre de n'être pas à la hauteur: on n'a vraiment rien à perdre.

Ce livre raconte, en même temps qu'une marche difficile et passionnée vers la culture, vers la liberté de conscience, une histoire qui est celle-là même de sa propre élaboration, celle d'une conquête de la prose. Fernand Ouellette avait déjà réuni de remarquables essais dans *Les Actes retrouvés* (1970) et publié *Edgard Varèse* (1966) et *Depuis Novalis* (1973), mais il me semble qu'ici plus qu'ailleurs, en faisant dialoguer son écriture d'autrefois et celle de sa maturité, il fait voir quels sont pour lui les enjeux de la prose d'idées, les responsabilités, les risques qu'elle entraîne. Il vient de la poésie comme de son lieu de naissance, et l'on dirait parfois qu'il doit s'en extraire violemment pour arriver aux paysages plus lisses de la prose. Rares sont les poètes québécois de sa génération qui ont fait le passage ou l'ont fait de façon aussi décidée, complète, aventurée, jusqu'au prosaïsme même. Fernand Ouellette s'est fait prosateur par nécessité morale plus qu'esthétique, pour rendre compte, intervenir, témoigner. Mais je ne crains pas de dire que sa poésie en a reçu bénéfice, et que sans l'expérience de la prose nous n'aurions pas eu les grands livres que sont, entre autres, *Dans le sombre* et *Les Heures*, où sans rien perdre de son autonomie le poème accueille les leçons du quotidien.

Gilles MARCOTTE
mai 1987

Avant-propos

Le présent ouvrage est avant tout une histoire de ma vie affective, intellectuelle et spirituelle. Parfois le ton est celui d'une confession, parfois celui d'un journal. Mais l'ensemble est vraiment un journal dénoué dans la mesure où, à partir de l'année 1950, je me suis inspiré d'une vingtaine de volumes de mon journal. Cet essai dégage l'essentiel de ce que fut l'évolution d'un poète québécois né en 1930. Il ne s'agit donc pas de mémoires, ni d'une autobiographie préoccupée surtout par le milieu et la société où j'ai vécu, mais bien de mon histoire intérieure. Je la propose non sans tremblement, avec impudeur, tout en étant conscient que je n'ai pas tout dit, que je ne pouvais pas tout dire. Comment ne pas être secoué par les ondes d'un certain séisme de la conscience, quand je me rends compte qu'il y a déjà dans ces pages plus de quarante années de ma vie, que ce livre même est une forme de mort! C'est tout ce que j'aurais vécu? De l'émerveillement, de l'angoisse, de la solitude, de l'écriture et du désir infini? C'est tout cela un homme? Ce n'est que cela un homme? Où est le dieu dont on parle? Et pourtant «chaque homme porte la forme entière de l'humaine condition» (Montaigne).

À ma femme,
à mes enfants

Je suis doublement fou, je le sais…

John DONNE

Tu es pressé d'écrire,
Comme si tu étais en retard sur la vie.

René CHAR

MOI

1

Octobre 1947. Le train quitte la gare Laurier. Je fume pour la première fois depuis août dernier. Rue Wellington, Ottawa, une porte s'est fermée à jamais. Je n'ai pas tenu le coup. N'étais-je pas parti, il y a quatre ans, pour devenir un prêtre, ou plus précisément un saint? J'avais choisi la sainteté comme on choisit la plomberie. Et voilà que je me retrouvais dans un train qui file, oppressé plus que libre, tombant dans la jungle de la vie quotidienne, une aile en moins, ainsi qu'une moitié d'ange. Que pouvait bien faire un demi-ange, à dix-sept ans, dans une ville en fusion, à la suite de l'immense désastre de la dernière guerre mondiale? J'étais mon peuple se réveillant après avoir cru qu'il avait une mission divine en terre d'Amérique anglo-saxonne. Comme lui je quittais démuni un enclos spirituel. Affaibli sous les illusions crevées, ignorant, vassal d'un maître parlant une autre langue, j'allais vulnérable parmi les hommes, effrayé par les yeux des femmes, m'agrippant, les regards retournés, aux lambeaux de ma peau d'ange. Certes, je ne deviendrais pas un prêtre, mais la sainteté... le don aux hommes, ou plutôt à l'humanité?

À cinq ans, j'avais baisé les pieds d'un immense crucifix, et fondu en larmes. Je prenais conscience de la souffrance, mais d'une souffrance qui était le fruit de la générosité. D'instinct je me tournais vers les cimes. Sans doute que ce jour-là, inconsciemment, je promis à mon idéal de vivre suspendu aux yeux douloureux du Christ. Cela m'était d'autant plus facile que je n'avais pas encore de corps. Depuis que mon père m'avait surpris à exhiber mon pénis devant mon frère, je croyais qu'il me fallait vivre sans corps. Il y avait quelque chose de sombrement terrible qui s'appelait le Mal. Désormais, une chape de bronze me couvrirait. Mes yeux se couperaient du corps. Commençait une errance semblable à celle de l'*ombre* d'un mort dans l'*Iliade,* mais dans une aire bleutée, sur l'Olympe que je rêverais. À l'insu de tous, je porterais un double lumineux sur les épaules, quand ce n'est pas mon double lui-même qui m'allégerait, m'entraînerait dans une course folle, comme si Phaéton ressuscitait. N'étais-je pas de quelque façon un fils de Dieu? Comment n'aurais-je pas été tenté de tirer haut le soleil autour d'un réel qui ne pouvait me satisfaire?

Pendant que l'astre m'aspirait et que j'allais dédoublé parmi les hommes, j'étais, bien entendu, aussi turbulent que n'importe quel enfant. Mais c'était une turbulence grugeant la sérénité de mes camarades. Une agressivité déguisée sous un sourire moqueur, sous des paroles pointues comme des flèches. J'avais l'incessant besoin de me mesurer à mes condisciples. Chaque enfant que je rencontrais était une grenade que je pouvais à mon gré amorcer. Il me fallait évidemment en subir les éclats parfois dévastateurs. En sortant de l'école, à midi ou à quatre heures, je fus maintes fois poursuivi par une meute. Or les «autres» me semblaient toujours plus énormes et plus réels. Je n'étais qu'un daim agressif. Quand la fuite m'était impossible, je devais encaisser les coups et revenir en larmes... jusqu'à la prochaine démolition...

À trois ans, j'avais les cheveux si blonds, si frisés, que mes parents rêvaient qu'on me choisît pour le prochain défilé de la Saint-Jean-Baptiste. N'ayant pas les armes véritables du petit mâle qui va dressant sa tête avec l'instinct de puissance, n'étant pas une fille, il me fallait devenir un ange, par compensation, comme Valéry, pour des raisons peut-être comparables, avait voulu se soumettre à l'irradiation de l'intelligence. Je me fis le compagnon du soleil. Je m'habituai à fixer les cimes, le bleu et l'or. Je vivais les pieds sur l'asphalte, mais les yeux dans la profondeur du ciel. Je survolerais les hommes sombres. Je les défierais, m'imaginant sans doute que j'avais déjà des ailes.

Après trois années au jardin d'enfants, avec les religieuses, je connus la véritable école des «hommes». Ceux-ci avaient pour instituteur ce qu'ils appelaient un *frère*. Et ces maîtres, comme eux, savaient bien cogner. Ils allaient même plus loin dans le raffinement: ils nous terrorisaient, nous humiliaient, nous écrasaient. Un jour, l'un d'eux, que je nommais *mon frère*, prit ma tête entre ses mains et me fit tourner, tourner comme une girouette. J'étais devenu une cible de la risée des autres sur la scène de ma première société. C'était ça la société des petits et des grands hommes réels? Mais moi je n'étais qu'un enfant qui pleurait en regardant les crucifix. J'étais un arbre d'une autre forêt, une forêt qu'on ne voyait plus et qui n'existait peut-être que dans les contes de fées, ou qui n'avait existé qu'il y a très longtemps avant que n'apparaissent les hommes velus qui apprirent à se distinguer des singes. Je n'avais pas de corps. J'étais d'une autre race, la race sans épaisseur des élus qui se font esprits.

À force de n'avoir pas de chair, on a de moins en moins de mémoire. Je n'avais donc pas de véritable cerveau sachant s'appliquer à l'observation des objets. Pour cela, il fallait s'alourdir d'images, de chair, avoir de véritables yeux, devenir en quelque sorte la matière qu'on observe. J'étais bien incapable de m'identifier à ce point à des objets. Et puis, ces objets concrets n'appartenaient-ils pas en général au monde des hommes, n'avaient-ils pas été conçus et faits par eux? Mes objets n'avaient pas de pesanteur. C'étaient de lentes et très imprécises images qui, nourries de soleil, n'arrivaient pas à s'acclimater au milieu de la matière, n'arrivaient pas à choisir une forme authentique, parce que toutes les formes étaient plus ou moins impures autour de moi. Il me fallait des formes si lumineuses, si transparentes, qu'elles deviendraient de plus en plus évanescentes et insaisissables comme la lumière. Je ne pouvais même pas les désigner. Elles prenaient de plus en plus l'aspect d'un rayon, d'une tendance, d'un infini désir. Alors, quand je devenais aussi diffus, aussi répandu que ce désir, le frère *noir* hurlait mon nom en pleine classe, coupait mon fil ténu: je me réveillais parmi les sarcasmes et les rires que vomissait cette petite société modèle. On m'ordonnait d'aller reprendre mes esprits dans le corridor, face au mur des forts, des réels, des enracinés. Le directeur surgissait, vautour attiré par ma présence, et me frappait les mains comme un automate programmé pour une pareille besogne.

Cet étrange apprentissage de la vie réelle dura quatre ans. Pendant cette période où je fus mis à vif, deux événements me marquèrent plus directement. Il n'y avait pas de cire plus malléable. Au cinéma de la salle paroissiale, je vis les ravages qu'accomplissaient les «terribles» républicains en Espagne. On m'apprit à prier pour le *bon* Franco qui sauvait le Christ. Mais, chose étrange, si je prenais conscience alors d'une guerre civile déjà terminée, je ne me rappelle aucun fait de la guerre mondiale de 1939.

Deuxième événement. Je découvris parmi les arbres des êtres vêtus d'une bure brune qui m'apparurent, la première fois, ainsi que de véritables anges parmi les hommes. Il y avait donc des hommes à barbe, appelés capucins, allant joyeux dans les sentiers, comme autant de soleils envahissant le sous-bois. D'une part le Christ persécuté en Espagne, l'abîme de souffrance, les cadavres, les squelettes d'évêques exposés sous les porches des cathédrales; d'autre part le Christ radieux déambulant parmi les arbres. Or il n'y avait qu'une façon d'assumer les deux Christ, c'était d'en devenir un moi-même. Je serais un noyau de flammes si intense, qu'il s'attaquerait au Mal; je serais un être lumineux si dense, qu'il consolerait les humiliés, les écrasés, les noyés. Ainsi je me mis à fréquenter les anges bruns, je devins un ange brun.

Quand deux ans plus tard j'arrivai parmi eux au juvénat, j'eus l'impression d'avoir fait le premier acte de ma véritable mission. Au bout de trois mois, on me donna la bure du tertiaire. À ce moment-là, ma grand-mère paternelle mourut. Je dus revenir quelques jours dans ma famille. Désormais j'étais auréolé: j'étais le futur prêtre, c'est-à-dire, pour eux, le premier exemple vécu d'une éclatante mobilité sociale, le premier à s'identifier à la mission qui correspondait à la riposte messianique du Canada français. J'avais déjà un prestige étrange que, dans un milieu ouvrier, seuls les futurs prêtres pouvaient espérer. J'étais un poids d'esprit qu'on opposerait à la puissance éphémère de l'Argent. Les ouvriers avec lesquels je travaillerai durant les vacances d'été, se comporteront de la même façon. J'étais un des leurs qui s'en sortirait, et cela par la porte glorieuse. Bien entendu, ils ne rataient pas une occasion de me faire rougir en m'offrant comme une victime ingénue aux sourires des jeunes filles. Parfois, certains osaient un toucher profanateur pour le plaisir de faire bondir un angelot un peu effrayé. Malgré tout, profondément, j'étais un «intouchable». Nul n'aurait dépassé les limites.

Il va sans dire que lorsque je revenais l'été parmi mes camarades du quartier, nous n'avions que des échanges maladroits et faux. On me donnait un rôle qu'il me fallait défendre. Toute spontanéité m'était devenue impossible. Il me fallait garder un masque. Ce n'était pas tant le masque de l'*ange* que le masque d'un être qui s'était retranché de *leur* société. Ils ne pouvaient plus m'appliquer leurs règles du jeu. J'échappais à leurs lois. Mon rôle me rassurait, mais il creusait un précipice entre le monde et moi, entre les hommes et moi, qu'il me faudra plus de douze ans pour combler. J'apprenais ainsi d'année en année à me désincarner davantage. Je ne serais plus un être concret, de telle classe sociale: je deviendrais une image, une idole, ma propre idole. Et c'est elle, ce *surmoi*, qui m'imposera sa tyrannie.

Parmi les «anges bruns», à Ottawa, je pris conscience du théâtre, de la peinture et de la musique. Je pense à ce choc que fut l'audition du *Concerto en ré mineur* pour piano de Mozart qu'interprétait sur disques 78 tours Bruno Walter. Bien que ma mère fût un ancien professeur de piano, elle jouait rarement de la «grande musique» à cette époque. Elle me révéla tout de même la sonate dite *Appassionata* de Beethoven, la célèbre *Polonaise* de Chopin et les valses de Strauss, œuvres que nous entendions surtout lors des visites de son père passionné de musique. C'est donc vraiment au juvénat que je me rendis compte que j'aimais la musique. Dès cet instant, je fus en quelque sorte écartelé entre ma vocation à la sainteté et mon besoin impérieux de musique. Cela ne facilitait pas mon enracinement. Quand la musique devient une drogue d'évasion, d'envolée vers l'*ailleurs*, rien ne désincarne davantage. L'adolescent naissant tourne en rond dans les régions bleues où plus rien n'a de consistance. Là-bas tout est éthéré, tout est à la mesure de l'aile, à la mesure de la transparence, à la mesure de l'aube.

Lorsque je repense au collège, je ne peux résister à la tentation d'évoquer les veilles de Noël. Un cortège d'anciens munis de crécelles nous ouvrait soudainement le sommeil. Quelle panique alors dans cet esprit qu'on arrachait à ses premiers rêves! Que de temps ne fallait-il pas! Sur quelle corde raide le regard ne devait-il pas s'aventurer, avant que les images ne reprennent leur continuité cohérente! Peu à peu m'atteignaient des paroles, des musiques et des lueurs de bougies. De vieux chants de Noël nous éclairaient l'âme. Une tendresse toute blanche nous étreignait. Très émerveillés, le cœur vacillant de joie, nous défilions dans les couloirs du collège et du monastère, en chantant les cantiques les plus sublimes. Minuit approchait. Une autre fois nous étions à la limite du miracle.

À cette époque, je me nourrissais de biographies de saints, et surtout de celles des saints les plus inaccessibles, les plus austères. La plupart du temps, ils étaient couverts de cilices, ils se frappaient de verges, ils ne mangeaient guère. Leur engagement impitoyable dans la voie de la sainteté se confondait avec ma poétique désincarnation. Il s'agissait sans doute chez moi d'une sorte de désincarnation esthétique liée aux désirs purs et poétiques de l'adolescence. Tout cela étayait admirablement mon *surmoi*. Je ne pouvais expérimenter qu'un sadisme retourné contre moi-même. Face à l'absolu, je ne pouvais être que ma propre victime sacrificielle. En m'identifiant à chaque saint dont je lisais la biographie, je créais un espace infini pour les prouesses et les hécatombes imaginaires de tous les états de mes *moi* possibles. J'entrais en *extase* durant des heures devant l'ostensoir. Je me dissolvais dans une ambiance de lumière, d'encens et d'odeurs de cire. Je confondais cet engourdissement anormal des sens avec une extase de Jean de la Croix. En fait je n'étais qu'un rêveur venant de rompre les amarres. Je me fabriquais des cilices que je portais en pensant à la misère des hommes. J'obtins même une fois la permission de descendre à la chapelle, à minuit, afin de prier pour un criminel qui allait monter sur l'échafaud. C'était ma façon de me rattacher concrètement aux hommes. Je faisais sans doute ces actes par transfert, en m'identifiant à quelque saint. Mais n'est-ce pas ainsi que nous devons nous transformer en partant des grands modèles? Je me laissais donc modeler, pétrir, en me faisant moi-même violence. Il me fallait des actes éclatants, même si je n'en étais que le seul témoin. Éclatants ou sublimes? Plutôt sublimes. N'était-ce pas toute ma nature poétique qui se trompait d'objet? J'étais fasciné en fait par les *beaux* actes. Je vivais dans la sphère belle et sublime du religieux, mais non dans la dimension spécifique du religieux. Dès l'instant où les anges apparurent dans ma vie, et antérieurement dès l'instant où je baisai les pieds du crucifix, je devins un obsédé de l'extraordinaire. Il me fallait me jeter déboussolé dans l'infini. Je ne voulais affronter que l'infini dans un combat d'où je sortais brisé. Sans doute parce que l'infini est et n'est pas de l'homme. Je n'acceptais d'être que sous l'apparence d'un éclair. J'avais quinze ans et me voulais dieu. N'étais-je pas engagé dans une aventure où il n'y avait pas d'issue? Comprimé entre l'extase et l'opacité, j'ai appris à me moquer de la crainte du ridicule. J'ai habitué mon intelligence à faire des sauts, à prendre des risques, à marcher comme un funambule. Par la suite, sans toujours savoir pourquoi, je n'aimerai que les kierkegaardiens, les audacieux fous du saut absolu, dans quelque domaine de l'action que ce soit.

Durant cette étrange agonie où mon être réel se façonnait et s'évanouissait à la fois, sous la domination d'un surmoi inflexible, je ne connus ni l'adolescence ni la sexualité. Quand je me sentais troublé à la vue d'un sein de jeune fille, je me fauchais aussitôt le regard et l'enfouissais comme un fruit pourri. Je me souviens que lors des visites de notre classe à la Galerie nationale du Canada, notre professeur nous fermait physiquement l'entrée d'une salle où de grands nus étaient exposés. De même, si le directeur apprenait que des animaux venaient de mettre bas à la Ferme expérimentale, il nous interdisait toute visite. Ainsi ai-je réussi sans trop de difficulté à être pratiquement asexué. Mon corps me devint aussi étranger qu'un Terrien le serait à un Vénusien. En fait, je n'avais pas de corps. Je restais souvent des mois sans sortir du collège, sans affronter des yeux de femme. Lorsque venaient les vacances annuelles, j'étais pris de panique. Je me retrouvais parmi les simples hommes avec mon masque sublime afin de mieux protéger ma réalité de surface. De plus en plus l'abîme s'élargissait entre les vivants de la quotidienneté, de l'incarnation, et ce moi qui n'était ni mort ni vivant, ce moi qui faisait l'ange. «Tant que l'homme se croit parfait, il est dans le style de la mort» (M. Choisy). Et je n'avais pas de père pouvant s'opposer à ma volonté. Par la distance nous étions devenus presque des étrangers qui vivaient en des univers différents. Nous ne pouvions que nous retrouver avec une chaleur tendre, mais sans la manifester. Au Québec, un père était bien incapable d'embrasser son fils. Les baisers appartenaient à cet univers trouble des relations entre hommes et femmes. C'est ainsi que mon père portait son masque de Saturnien froid, de puritain de Nouvelle-Angleterre, d'autant qu'il était un être brûlé. Comment une telle pression souterraine, volcanique, n'éclate-t-elle pas? Mon père, c'était le Québec même de la première génération urbaine qui n'arrivait pas à exploser, qui était si totalement terrassé qu'il ne pouvait que se consumer en se scellant les lèvres; alors que de tels cris retenus, de telles passions, auraient suffi partout ailleurs à faire sauter l'écorce de la planète. Ici les êtres disparaissaient comme des cierges. Ils fusaient. N'étions-nous pas que des ombres ayant perdu tout contact avec le réel? Certes il y eut parmi nous des hommes en accord avec la prairie, avec les arbres, avec les maisons, mais ils n'avaient pas quitté leur terre. Je n'ai pas connu de tels êtres. Mes grands-parents eux-mêmes avaient été blessés par l'Étranger de la ville. Leur brisement s'opérait dans le silence et l'impuissance. Ils devinrent des valets, bien qu'ils fussent des maîtres dans leur village. Et comme on les avait bien rodés! L'Étranger et le curé s'étaient donné la main. On leur imposa les béquilles de la prudence, de la prévoyance et de l'obéissance. Or l'obéissance, par exemple, n'est une force que chez les êtres libres. «Respectez vos patrons... vos curés... Obéissez en fils soumis... en employés modèles...» Un seul grand-père s'efforça de s'émanciper, mais il le fit trop tard et mal. Sa fin fut une déchéance, une humiliation. Son essai de liberté manqué rendit ses proches encore plus circonspects. Le ressac les rejetait dans la soumission. Accéder à la liberté, n'était-ce pas se jeter pieds et poings liés dans la solitude et le risque de la vie marginale? La liberté apparaissait comme une charge de dynamite. N'était-il pas préférable de s'en remettre à la prudence solide et millénaire d'une société connaissant bien les hommes parce que leur futur avait toujours été prévisible? Mais, encore une fois, il n'y a de véritables valeurs que pour les êtres intérieurement libres, quelles que soient ces valeurs ou ces croyances. On ne peut assumer que des actes authentiques. Or nous ne parvenions pas toujours, loin s'en faut, à la responsabilité et à la dignité de l'acte. Nos ressorts étaient cassés. Nous étions des êtres grégaires, vivotant et se taisant sous les coups de la vie. Qu'importe! nous serions reconnus et aimés dans l'*éternité*. Il suffisait d'être patients et confiants. Pourquoi lutter pour des *situations*? pourquoi s'instruire? Le *monde*, tout de même, avait réussi à survivre sans instruction. L'instruction c'était souvent l'entrée de l'orgueil et du vice. Les têtes s'enflent, la pratique religieuse est abandonnée. N'était-il pas préférable de se soumettre, de demeurer dans l'ignorance, plutôt que de devenir cette «bête sans âme» qu'est un Canadien français qui ne va plus à la messe du dimanche?

Bref, je n'ai pas connu l'adolescence des véritables adolescents de la race humaine, mais bien celle d'une moitié d'ange. J'étais le produit d'une phylogénèse très particulière. Durant ces longues années, je n'eus pas conscience de la guerre qui ravageait le monde. Au collège, nous n'étions pas informés, ou du moins je ne m'en souviens pas. L'étude et la marche vers le noviciat nous suffisaient. L'illusion d'œuvrer au Corps mystique équilibrait cette rupture avec la véritable humanité qu'on annihilait en Europe et en Asie.

Sans doute nous trouvait-on trop jeunes et pas assez formés. Mais qui nous formait? On nous avait retiré la Bible des mains. On avait arraché les Dianes et les Vénus callipyges du *Petit Larousse*. Tout cela était la conséquence naturelle d'une structure psychologique enracinée dans la peur et la prudence. Sans doute étais-je aussi faux, sur quelques plans, que certains aspects faux de la *Vénus* de Botticelli. Mais je n'étais pas sorti de ma conque. Je n'avais pas entendu la grande respiration océanique. J'étais une sorte d'idée d'être non achevé.

Je mangeais peu alors, d'ailleurs je n'aimais pas manger. Cette aversion remontait sûrement aux trois premiers mois après ma naissance. Parmi mes frères et sœurs, je fus le seul que ma mère allaita. Mais je dus mourir d'exaspération, tellement ma mère était lente et distraite. Et cette impatience est devenue l'un des traits de mon caractère. De plus, j'avais une pudeur qui me torturait. S'il me fallait mettre des culottes courtes pour figurer sur la scène un soldat romain, je me sentais attaqué dans ma nature. Je voulais vivre comme une *idée* sans enveloppe charnelle. «Ils veulent se mettre hors d'eux et eschapper à l'homme. C'est folie: au lieu de se transformer en anges, ils se transforment en bestes» (Montaigne).

Peu à peu je devins obsédé par une seule pensée: entrer au Conservatoire de musique. À mon insu se préparait le glissement de ma fausse nature religieuse. Ce que j'avais pris pour des élans de conscience religieuse n'avait peut-être été que les mouvements intenses d'une sensibilité polarisée par le *Beau*. Il y eut donc soudainement une panique, une déchirure perçue un court instant comme une catastrophe: je ne sentais plus la vocation religieuse. Dans ce vide temporaire s'engouffra ma passion pour l'art et la musique. J'avais dix-sept ans.

C'est dans ces conditions pénibles, avec de tels modèles d'hommes dans la tête, que survolté je pris le train à la gare Laurier, la veille de la Toussaint, pour revenir dans mon foyer, revenir parmi les hommes, simple comme eux, banni, désacralisé, conscient d'un premier revers, d'une certaine déchéance. Je n'avais plus l'auréole du futur prêtre. Parmi les miens je perdais un certain statut. La pression du réel deviendrait de plus en plus implacable.

2

Quand j'arrivai à Montréal, rue Bellerive, mes parents étaient absents. Ils ne m'attendaient pas ce soir-là. Je m'assis sur le balcon recouvert de feuilles mortes, grelottant durant trois heures sous le long vent qui agitait le fleuve. Je n'aurais pu mieux prendre conscience de ma détresse, de ma solitude. Je dérivais parmi mes propres décombres. Il n'y avait pas d'amer le long de mes pensées.

Mais tout chez moi n'était pas faillite. J'avais vécu pendant quatre ans avec des capucins, j'avais rêvé de François d'Assise, j'avais connu la joie. Avec les capucins, il était beaucoup moins question de l'enfer que de la nature et de la simplicité du cœur. Je les reverrai toujours se promenant dans les longues allées du verger, s'intéressant davantage aux oiseaux qu'aux vaines disputes intellectuelles. Avec eux non seulement j'avais accédé à la peinture, à la musique, mais surtout j'avais pris conscience d'une poésie de la vie elle-même. Je ne pouvais certainement pas leur imputer ma timidité maladive.

J'étais revenu à Montréal pour entrer au Conservatoire de musique. Je voulais devenir violoniste. Or je ne savais que le solfège. Mon admission était impensable. Décidément je ne vivais pas parmi les hommes. C'est alors que je me jetai dans les sciences. J'étais toujours à la dérive, ne parvenant pas à m'orienter. Je voulais me diriger tantôt vers la chimie, tantôt vers l'optométrie. Après deux ans de tentatives, je subis un échec spectaculaire. Je devais me rendre à l'évidence: il me faudrait déchanter et travailler comme tout fils d'ouvrier. Mais je n'avais pas de mains, j'étais si maladroit! Mon père était l'artisan par excellence, un véritable magicien du bois. Trop écrasé par sa supériorité, j'en étais arrivé à mépriser mes mains. Ces mains-là n'arriveraient jamais à «penser». J'étais incapable de leur communiquer les mouvements de l'esprit que je ressentais. Je ne savais pas dessiner. Je ne savais pas travailler de mes mains, et je ne le saurais jamais. J'étais un manchot face à un grand artisan. Je ne pourrais donc pas marcher dans ses pas. Il me fallait prendre une voie différente pour atteindre, sur un autre plan, la même perfection. Ce n'est qu'ainsi que je deviendrais son égal. Sans m'en rendre compte, je relevais un défi. Je serais d'abord un col blanc. N'était-ce pas le premier indice d'une mobilité sociale? Ne pas travailler des mains...

Toutefois, mon travail de gratte-papier chez un courtier en valeurs ne pouvait me combler. J'avais été éveillé à la vie de l'esprit et à l'art. Je demeurais affamé. Sentimentalement je choisis alors de poursuivre des études en sciences sociales. C'était par idéalisme, le vrai idéalisme du moi. Venant de la classe ouvrière, je n'avais pas perdu le sens d'un travail possible en faveur des hommes subissant l'injustice. C'est ainsi que durant trois ans, trois soirs par semaine, je me rendis à l'Université de Montréal. J'ai appris à être persévérant. Ne me fallait-il pas une heure et demie de tramway pour m'y rendre, et monter l'escalier de bois interminable même sous les rafales de neige? C'est de ce courage que je suis demeuré le plus fier. Je m'étais fixé un but et, pour la première fois, je l'avais atteint. C'était ma première réussite. Durant ces trois années, je me sensibilisai quelque peu aux problèmes concrets de la société, mais ce ne fut pas pour moi une véritable prise de conscience. C'est à peine, par exemple, si je sus que Karl Marx avait existé. Jésuite, dominicain, directeur de banque, éditorialiste à *La Presse*, nous donnaient l'enseignement. La pensée des encycliques prédominait. C'est tout dire. Et cela de 1949 à 1952. Même alors, je demeurais tout à fait idéaliste et désincarné. Cependant, progrès énorme, j'arrivais à me concentrer, à suivre un cours. Ce dont j'avais été incapable au juvénat et aux écoles de préparations scientifiques.

Ce n'est donc que vers l'âge de dix-neuf ans que je commençai à pouvoir travailler, c'est-à-dire à devenir plus logique, à réfléchir, à synthétiser. Au collège j'avais lu Fenimore Cooper, René Bazin, et quelques romans missionnaires, quelques pages de Lamartine, Claudel et Péguy. Il n'était pas question de lire les poètes «maudits». Que de travail il me faudrait! Que de soirs, que de fins de semaine dans ma chambre à dévorer des œuvres! J'étais l'autodidacte exemplaire. J'aurai toujours une grande admiration pour les écrivains et les intellectuels autodidactes, et une certaine méfiance, fondée sur un sentiment d'insécurité, vis-à-vis des universitaires. Je ne serai jamais rassuré. Toujours il me semblera que mes bases sont fragiles et qu'un jour tous mes mécanismes intellectuels se dérègleront. Cela ira si loin que, dès que je prendrai la plume pour écrire, je me sentirai quelque peu coupable. Je me demanderai souvent si tout mon travail d'écriture n'est pas de l'imposture. Comme si j'avais volé, tel Prométhée, un feu secret qui ne m'était pas dû. Assurément qu'un jour je serais démasqué et que l'imposteur serait réduit au silence. C'est avec ce sentiment de ma propre fragilité que je devrai m'arracher chaque ligne d'écriture. La précipitation deviendra l'une de mes caractéristiques. J'écrirai sous l'effet d'une précipitation psychique, en me consumant dans un éclair, comme si le temps m'était compté, comme si ce pouvoir allait bientôt m'être retiré, comme si une paralysie soudaine allait m'immobiliser l'esprit. Je crois bien, aujourd'hui, après plus de vingt ans d'écriture, que cette angoisse est indéracinable. Ne serait-ce pas pour cette raison-là que j'ai commencé ce *Journal dénoué*?

À vingt ans, j'étais tellement sauvage que je préférais demeurer dans ma chambre. Il m'était donc plutôt facile de travailler. Je contemplais à peine du regard les jeunes filles, car ma timidité me pétrifiait. Je disais des imbécillités, je tremblais, rougissais, divaguais tant j'étais impuissant à me maîtriser. Quand j'allais au cinéma accompagné d'une jeune fille, non seulement je devenais complètement idiot, mais je revenais épuisé. Cet effort était au-dessus de mes forces. Je me sentais si ridicule que je préférais m'enliser dans ma solitude. Et plus je rompais les liens avec le réel, plus le contact avec les femmes devenait impossible. J'étais à tel point écartelé entre mon inconscient et mon surmoi que je pouvais à peine respirer. Sans possible médiation avec le monde, j'étais demeuré un rayon sans corps, sans respiration et sans sexe. Mon agressivité était en veilleuse, ou du moins elle ne pouvait se tourner que contre moi et mes proches. En dehors de ce cercle, je n'étais que sourire. De plus, ce sourire était lié, sur un autre plan, à l'expérience grave que je croyais vivre au sein du Corps mystique. Ma conscience religieuse me paralysait. Tout était passé à son crible, même mes sourires. J'étais prisonnier de ma propre grille de valeurs. Comment me libérer d'une introspection qui m'épurait continuellement avant même que je risquasse un acte? Il me fallait sans cesse renaître dans une sorte de scissiparité douloureuse. J'étais attentif au moindre augure. Seule la douceur envers les autres, garante d'une solidarité radicale que je devais assumer, pouvait me donner l'illusion que la quête de sainteté n'avait pas été complètement abandonnée. Cette tyrannie était d'autant plus efficace et terrible que mes moindres pulsions disparaissaient avant même d'en prendre conscience. Dans cet univers inhumain où j'étais la victime et le sacrificateur, la femme était une déesse si inaccessible, si castrante, qu'elle contribuait à me momifier. Néanmoins, je ne compensais pas par la masturbation. En réalité, je n'étais pas conscient de cette «dégradation» possible. Cette dimension de mon corps n'existait pas. Toute ma sexualité était focalisée sur ma conscience religieuse et se nourrissait de Dieu. J'ai été si irréel qu'aujourd'hui cette irréalité me semble irréelle. Je me demande comment j'ai pu en arriver à cette inexistence d'un corps volatil, comment j'ai pu nier ma réalité à ce point. On voit bien que je n'ai pas vécu ce qu'on appelle l'adolescence et, à beaucoup d'égards, que je n'ai pas connu ce qu'est la jeunesse. Je n'ai été en proie ni à la révolte de l'individu, ni à l'ardeur du corps. Mon corps est devenu adulte comme s'il avait crû à mon insu dans un autre univers, un cellier invisible, comme s'il avait été projeté malgré lui dans sa maturité, comme s'il avait été protégé tel un apôtre bien-aimé des tensions et des tourments de la chair. J'en arrivai à considérer cette détermination puissante de spiritualité comme un signe providentiel. J'étais peut-être un élu. Mais pour qui? Tout cela augmentait mon sentiment de solitude. J'en devenais malade. Ma sensibilité m'anéantissait. J'étais sans cesse écorché. Tout m'atteignait. Sans aucune carapace, sans muscles, mon système nerveux était aisément vulnérable. Mes énergies se raréfiaient. Je tombais sans cesse en mélancolie. N'avais-je pas été élevé, comme a dit Valéry, «dans la peur nerveuse de Tout»? Je m'étendais sur mon lit en plein soleil pour écouter le *Requiem* de Mozart. Est-ce tout cela qui a peu à peu pétri ma sensibilité, sorte de matière noire d'où surgiraient mes premiers poèmes, comme des ouvertures foudroyantes, comme une secrète et vive chirurgie de l'âme? Je vois mieux aujourd'hui le rôle de mes premiers poèmes, mais nous n'en sommes pas encore là pour le moment.

C'est avec cette structure psychologique, cette sensibilité à vif, que j'entrepris la lecture de Dostoïevski et de Léon Bloy. J'étais le lecteur idéal de tels écrivains. Ce fut ma compensation. Je vivais intensément avec tous les personnages du Russe. Je devenais ces personnages. Que cela était facile pour un esprit aussi vierge qui ne demandait qu'à recevoir, qu'à plonger dans les infinis imaginaires de l'être! Avec eux j'accédais à la démesure, à l'illusion de vivre. Je rencontrais des hommes sombrant dans la désespérance. Je touchais Aliocha, mon frère traqué par le même besoin d'absolu. Je devenais l'Idiot bouleversé par la vue d'une femme ardente et noire qui, tenaillée par la chair, se débattait dans le marécage de l'âme. Ces personnages devinrent mes compagnons quotidiens, plus réels que les hommes que je côtoyais au bureau. Ces œuvres furent pour moi de gigantesques matrices où imperceptiblement je mûrissais, croissais, m'acclimatais à des passions, à des déchirements n'en demeurant pas moins humains bien qu'ils fussent démesurés. Grâce à Dostoïevski, je m'humanisais par personnes interposées. Et j'allais aux autres, les êtres réels du quotidien, en leur faisant le don d'un sourire immobile tel un bodhisattva, alors que tout en moi gémissait, que j'étais fou d'éveil. Car tous ces personnages souffraient en moi et je souffrais par eux. Je pris ainsi l'habitude d'assumer ces souffrances, ce désarroi que je décelais chez les autres. Dès que dans un tramway, ou dans la rue, j'étais alerté par certaine détresse du regard, ou certaine misère du corps, je me mettais à prier. Un peu comme l'Idiot, je mettais les hommes à nu, je m'accordais instantanément à leur souffrance. C'est ainsi que je concevais le Corps mystique: une participation incessante à l'agonie du Christ en *tous*. C'est ainsi que je comprenais le mot de Pascal. C'était ma façon de renouer avec le vivant.

Léon Bloy, dans ses œuvres du moins, vivait agrippé à l'Absolu. Mon surmoi se chargea donc de l'Absolu de Bloy. Ma propre personnalité s'effaça de plus en plus. Rien n'est plus néfaste pour un adolescent que cet Absolu si exigeant qu'il abolit le relatif et accroît sans fin la culpabilité en *démesurant* le désir de la perfection, en la rendant, au fond, radicalement inhumaine. Je verrais tout avec les yeux de Bloy, je serais dévasté par ses épuisantes visions, par ses pensées lancinantes qui ne laissent aucun repos. Je commençais par vivre comme saint Antoine au désert, alors que je n'avais même pas pris conscience de ma propre personnalité. Je m'étais engagé dans la voie d'un inévitable désastre. Ce qui ne signifie pas que j'avais un autre chemin possible. Je sens, aujourd'hui, sur tout cela un tel poids de destin, que je dois bien me rendre à l'évidence: *je* ne pouvais pas être formé d'une autre façon, c'est-à-dire recevoir mon «être et ma forme».

Au bureau, je fis la connaissance d'un diplômé des Études médiévales. Ce fut mon premier compagnon de dialogue, le premier *toi.* J'étais comme une marmite sous la pression de la vapeur. Je n'attendais que l'occasion de sauter en paroles, tant mon besoin d'échanges était urgent. Il m'initia à la philosophie. Je commençai par les *Éléments de philosophie* de Jacques Maritain. Et je lus un peu de tout: Gilson, Sertillanges, Berdiaev et quelques autres. Que de discussions avec mon compagnon à propos de *L'Idée de création*, par exemple. Ce concept d'éternité, perçu chez Sertillanges, aura une répercussion fondamentale dans ma vie intérieure.

C'est en 1948 que je fus violenté par les images d'un camp de concentration. Un des rares survivants des dix mille officiers polonais qui avaient été massacrés par les Russes était venu à Montréal nous parler des camps nazis et nous montrer des films de cet enfer. Était-ce Auschwitz? Jamais je n'oublierai ces images qui m'ont envahi et tourmenté alors que j'avais dix-huit ans. Encore aujourd'hui j'en demeure ébranlé et bien incapable de m'y accoutumer. Parfois je me suis demandé s'il ne s'agissait pas là d'une exposition d'actes agressifs, à ce point aberrants, à ce point inhumains, que je craignais, moi qui avais limé patiemment toute forme d'agressivité dans mes rapports avec autrui, qu'ils ne fussent surgis de mon propre abîme d'humanité et d'inhumanité? Je sentais obscurément que si je craignais tant ces actes, que s'ils me faisaient tant souffrir, que s'ils m'avaient marqué jusqu'à l'obsession, c'est peut-être parce qu'ils auraient pu naître de mon propre chaos. N'étais-je pas un bourreau en puissance? Je prenais conscience d'un autre versant de l'âme humaine. Déjà, le considérer comme *possible*, c'était pour moi faire un premier pas en humanité. «Sous le soleil» du Dieu d'amour, je commençais à m'humaniser en me chargeant de ces monstres qui me renvoyaient des images possibles de mon propre inconscient. Je demeure persuadé, aujourd'hui, qu'il vaut mieux admettre ces *possibles*, afin de s'en protéger, comme s'ils agissaient tels des paratonnerres, des capteurs de toute agressivité en soi. L'on peut ainsi espérer que notre agressivité sera canalisée selon les balises de l'ensemble de nos actes. C'est sans doute cette totalité des actes qui fait pencher l'acte de l'un ou l'autre côté dans les moments décisifs.

Pendant ces années interminables, je vivais avec Mozart, mon dieu blanc. En lui, toutefois, je faisais l'apprentissage de la mort, je m'habituais à cette présence qui nous accompagne, nous enserre doucement, et nous devient en quelque sorte familière à force de surgir à l'improviste dans une multitude de chants en mineur. (On pourrait dire de Mozart ce que Thomas Mann a dit de Hofmannsthal: «Il a aimé l'idée de la mort jointe à celle de la beauté, de la noblesse. C'était sans doute bien autrichien.») Avec Mozart, on passe subitement du solaire à l'abîme noir qui nous enveloppe. Il recèle en lui une telle densité de lumière, une telle humanité simple, qu'il avait pour moi une fonction de soupape quand Dostoïevski et Bloy m'accablaient trop. Il me donna mon second pôle. Ma conscience du tragique pouvait désormais percevoir le mouvement de la nuit à la lumière, et celui de la lumière à la nuit. La tragédie, ce n'était pas tant l'impasse, l'impossibilité d'agir sur son destin, que la passion de la lumière depuis le fond du puits. Après le Christ, Mozart m'apparaissait comme le tragique *exemplaire*. C'est la condensation si lumineuse de son âme qui en faisait pour moi *le* tragique. C'est parce qu'il était si irradiant qu'il me faisait ressentir à ce point l'absence de lumière. Je ne trouve d'équivalent, peut-être, que dans le lied *Auf dem Wasser zu singen* de Schubert. Ma conscience masochiste venait de recevoir un premier coup. Elle ne pourrait plus se complaire dans les seules ténèbres. Elle devra affronter la lumière, se battre avec elle comme Jacob. Après le feu de François d'Assise, la lumière de Mozart était le plus grand don que me faisait la vie. La vie se manifestait dans sa dimension positive avec une intensité un peu surréelle. La musique de Mozart est un visage glorieux de la vie, une vive organisation sonore de la lumière du Tabor. Elle permet d'apprivoiser lentement l'invasion du soleil cru. Le solaire deviendrait le contrepoids de ma mélancolie et le symbole pivot de ma poésie. C'est ainsi qu'un certain jour d'avril 1951 le noyau de mon être éclata, et que je fus inondé de lumière, que je devins lumière durant quelques heures. Dorénavant, je pourrais commencer à vivre, je venais vraiment de naître une deuxième fois. Le temps peu à peu m'informera, me donnera un corps, un cerveau, me rendra plus humain. Je ne serai plus une moitié d'ange. J'apprendrai à être un homme.

SOI

1951-1953

1

C'est un jour d'avril 1951 que j'entrai en lumière, au-delà ou en deçà de mes sens, comme si mes yeux n'étaient pas ceux qui voyaient, comme si mes mains n'étaient pas celles qui touchaient.

À la suite d'une longue discussion sur *L'Idée de création* de Sertillanges, je devins obsédé par le concept d'*éternité*. Je contemplais le *point*. Or, soudainement, à mon travail, alors que j'entrais dans une salle, mon corps ne fut plus un corps, les objets ne furent plus des objets, le temps et l'espace étaient abolis. Ou bien j'avais pénétré au profond d'une lumière, ou bien je produisais depuis mon corps une lumière que j'étais seul à percevoir. Tout était *un* dans un espace lumineux et infini. Cette sensation d'être imprégné de lumière, de n'avoir pas de pesanteur, de pouvoir traverser les murs, se dissipa peu à peu en deux jours. Je venais de vivre une durée sublime, une durée qui était à la fois une expérience métaphysique et psychologique: je venais de *naître*, de m'éveiller à l'être et à sa puissance.

Maintes expériences semblables ont été faites par des écrivains et des mystiques de toutes familles religieuses. N'oublions pas que le yoga, à l'origine, comme le souligne l'historien des religions Zaehner, avait été une «technique par laquelle il est possible de séparer l'âme éternelle de ses accessoires mortels». Je crois, sans vouloir établir une comparaison déplacée, qu'un texte des *Upanisad* cerne un peu mon expérience en affirmant:

> Celui qui reconnaît cette radieuse et impérissable [essence] qui n'a d'ombre, ni corps, ni sang, parvient à cette impérissable [essence]. Il devient omniscient et entier [...]. Celui qui reconnaît cette impérissable [essence] sur laquelle le soi conscient avec tous ses pouvoirs des souffles de vie, et les éléments, repose, devient omniscient et pénètre tout.

On pourrait également décrire les expériences des deuxième et troisième degrés du Zen. On pourrait citer Plotin et combien d'autres, même sans se référer aux récits de maints mystiques chrétiens et à cette «contemplation infuse» dont parle Thomas d'Aquin. Je pense à Goethe qui, dans son *Wilhelm Meister*, écrivit au sujet de son personnage Macarie:

> Elle se souvient avoir vu, encore tout enfant, son être intérieur comme pénétré d'une présence lumineuse, éclairé d'une lumière, que même la plus brillante clarté du soleil ne saurait donner. Souvent elle voyait deux soleils, l'un au-dedans d'elle, l'autre dans le ciel [...].

Je pourrais mentionner, depuis le XIXe siècle, Novalis,

Tieck, Kierkegaard. Ce dernier a noté dans *La Répétition*: «[...] c'était comme si je n'avais plus du tout de corps.» Le 14 juillet 1898, Valéry aurait perdu, dit-il, le «sentiment de la différence de l'être et du non-être». Et Proust, découvrant son *soi* dans *Du côté de chez Swann*? Et Claudel, Massignon? (Je prends ici le *soi* au sens de Jung, considéré comme «la totalité psychique, faite de la conscience et de l'océan infini de l'âme sur lequel elle flotte».) Le croyant de la tradition ésotérique dirait que j'ai pris conscience de mon «corps astral», de mon noyau informant. Mon expérience a été tellement inouïe, m'a donné une telle sérénité, que je ne peux parler à son propos que d'*illumination*. La concentration que j'avais atteinte en fixant le *point*, ou le *mur*, que fut pour moi le concept d'*éternité*, est comparable à l'aboutissement d'une démarche semblable dans le Zen ou le Yoga, lesquels peuvent mettre l'homme en cheminement vers l'illumination et lui révéler les voies, en le plongeant soudain dans l'infini lumineux et un de l'être. C'est après que mon *soi* m'ait été ouvert que je commençai non seulement à écrire, mais à nourrir toute mon écriture de cette expérience fondamentale, fondatrice, de cette deuxième naissance, en attendant cette troisième et dernière naissance qu'est la mort. C'est l'intuition d'une expérience très similaire dans *Les Hymnes à la nuit* de Novalis, qui m'a poussé, presque malgré moi, à rédiger mon essai *Depuis Novalis*. Sans ma propre expérience je n'aurais pu écrire de gloses sur les *Hymnes*, rapporter de nombreux exemples d'illumination, et surtout, je n'aurais pu avoir une intuition de la signification du texte des *Hymnes*, une intuition de l'expérience inouïe de Novalis, une sorte de conviction de savoir ce dont je parlais. De plus, je suis persuadé que cette expérience du soi est beaucoup plus fréquente qu'on ne le croit chez les écrivains et les artistes. Ce sont des êtres de l'attente, de la concentration, de la conscience non conceptuelle. À un moment ou l'autre ils tentent de passer le *mur* qui empêche la conscience d'embrasser l'«entièreté» (Fédier) et le regard de saisir. Comment, alors, ne se produirait-il pas un éclatement lumineux de l'être, une trouée dans la surconscience?

Ceci m'amène à souligner, sur un plan plus large, une différence profonde entre l'esprit occidental et l'esprit oriental. Le disciple du Zen vise au non-désir, à la maîtrise du moi, chemine vers la paix intérieure, habitue son corps à obéir aux mouvements de l'esprit, travaille à la réalisation de l'«homme vrai», de l'«homme éveillé», avec l'espérance que la réalité «se révèle toute entière». Il serait spontanément en accord avec cet aphorisme d'Héraclite: «Il est plus nécessaire d'éteindre la démesure que l'incendie.» Certes il s'agit sans doute de parvenir à la vision de l'unité, à l'Un, mais cela ne signifie pas que cette conscience soit possible sans le terrible contrepoids d'un déchirement radical. Kierkegaard, occidental s'il en fut, ayant accédé à l'illumination, a été tourmenté, broyé; il avait tout misé sur la manifestation de l'individu; en fait, sa vie ne fut qu'une longue démesure. Il ne cherchait pas le bonheur ou la sagesse: il était en quête de l'Absolu dans un mouvement de tension dialectique propre à l'esprit occidental. On pourrait évoquer la tragédie de Hölderlin. Novalis, ce mozartien de la pensée, ce «mystique séraphique», disait Thomas Mann, est une exception étonnante, presque miraculeuse.

On a prétendu qu'à l'opposé de la civilisation occidentale, laquelle aurait son centre de gravité dans la *pensée*, la civilisation japonaise, par exemple, l'aurait dans la *non-pensée*. «La force principale de la civilisation japonaise réside sûrement dans l'intuition, le sentiment et l'art» (H.M. Lasalle). Peut-on parler d'une civilisation apollinienne là où règnent la sensibilité et l'ordre: l'ordre et les rites protégeant le Japonais contre sa tendance à l'excès, contre sa sensibilité facilement *désaxable*? Il ne faut certes pas se méprendre ni généraliser. Pour le moment, la civilisation japonaise accepte la fourmilière pour accroître son confort. Elle semble s'éloigner de l'expérience du Zen. Mais il y a en elle des puissances qui peuvent la réveiller. Elle demeure sous la lumière du Zen. On a pu dire que «le monde du Zen est le monde de l'expérience pure, sans concepts», le Zen étant une «conscience de l'être» en acte, la «vie consciente». Si l'on peut se risquer à parler d'une civilisation de l'illumination, à propos des pays marqués par Bouddha, il faut bien observer comment elle se confronte avec la civilisation de l'action. Il est possible que l'homme nouveau surgisse d'une harmonie retrouvée grâce à la tension entre l'illumination et l'action. D'une certaine façon, l'action c'est le *Je* se manifestant, prenant sa distance vis-à-vis du réel et le transformant; et l'illumination, le *Je* s'unissant au Tout, à l'*Un*. En définitive, notre existence ne doit-elle pas être en mouvement dialectique entre ces deux tendances de l'homme entier? Il me semble qu'aucune civilisation, comme telle, surtout si elle a l'ambition d'être universelle, ne peut survivre en se fermant à l'action ou à l'illumination. Les préoccupations de la jeunesse américaine, illustrent suffisamment cette inquiétude, de même que le mouvement littéraire de la *beat generation*, bien qu'il y ait peut-être malentendu sur les voies véritables.

Cependant je retombai très vite dans le dualisme. L'idée du jugement personnel et dernier m'obsédait. J'étais aux prises avec un instant posé devant l'Absolu, bien avant que je sache que Kierkegaard ait existé. Quelque événement imprévisible allait certainement me foudroyer. J'étais d'autant plus triste et seul que j'avais connu un arrachement lumineux et sublime au réel. La découverte de mon *soi* avait pour effet immédiat une sensation plus aiguë de ma solitude. J'agissais toujours sous l'emprise d'un surmoi polarisé par le Vendredi saint.

2

Depuis deux ans, je voyais tous les matins dans le tramway une jeune fille dont le visage était beau, semblable à celui de la *Belle Ferronnière* ou de *Juliette Récamier*. Visage un peu sombre aux yeux mélancoliques, béants comme des gouffres. Pendant tout ce temps, j'aimai une femme sans pouvoir l'aborder ni lui parler, comme Valéry s'éprit secrètement de sa dame de Montpellier. Ce fut un supplice dont témoignent les pages de mon journal (que je venais de commencer). C'est pour elle que j'écrirai mes premiers poèmes. J'étais comme Jaufré Rudel:

> Mon désir sans fin n'aspire,
> Qu'à elle seule entre toutes

ou comme Alain Chartier, le courtois mélancolique, qui avait donné son cœur à une grande dame:

> Et je fus loing, pensif, triste et farouche.

Je vécus profondément la «fine amour», comme si elle était le modèle par excellence de tout premier amour naissant dans une totale innocence. À beaucoup d'égards, face à la femme, je demeurerai un «courtois».

La «fine amour» m'est apparue plus tard, dans l'histoire, comme le moment précis où naît l'amour pur et adolescent. On n'a qu'à lire les *Amours* d'Ovide pour saisir, par comparaison, l'écart, le saut prodigieux. À ce point de vue, après la «fine amour», qui atteint son sommet de spiritualité et de concentration chez Dante (*Vita Nova, Rimes, Divine Comédie*) et que cherche en vain Don Quichotte, je ne vois d'exemple authentique de «fine amour» que chez Novalis, ou même chez Nerval, dans l'échec — puisque Nerval ne parvient pas à rétablir le contact avec la Dame («El Desdichado») — , et peut-être aujourd'hui dans quelques poèmes de Joyce, dans certaines pages magistrales de la *Belle du Seigneur* d'Albert Cohen.

Ne pouvant affronter la personne réelle, de chair, que je rencontrais chaque matin, je sublimais en m'accrochant à l'absolu et à l'éternité. Je m'abandonnais à la cruelle domination du surmoi. Malgré tout, aurait dit Chartier, je demeurais l'un de «ces amoureux malades qui ont espoir d'alégement», puisque je faisais «chansons, dis et balades». Mais, bien entendu, je ne savais encore rien de la poésie. Elle n'était qu'un prétexte, une façon de m'unir à ma dame. La révélation de la poésie véritable serait pour moi aussi soudaine que mon «illumination». Jusqu'à cet effort des premiers poèmes, je n'avais lu que Lamartine, Verlaine, Claudel et Péguy. À vingt-deux ans je ne connaissais presque rien de la poésie moderne. C'est vraiment la poésie qui m'a fait violence, qui s'est abattue sur moi, un peu comme Dame Pauvreté a possédé subitement François d'Assise. Dame Poésie me foudroya au moment où je m'engouffrais dans les yeux de ma première dame. C'est pourquoi je prends conscience, avec le recul, que je ne pouvais pas ne pas écrire *Dans le sombre*. Amour et Poésie ne s'étaient-ils pas emparés de moi simultanément?

Avant cet événement, je ne lisais pas de poésie. Je ne vivais qu'en musique. Toute ma sensibilité était affinée par la musique et notamment par le chant de Mozart. Chez les modernes, je ne connaissais que Debussy, Sibelius et Stravinski. J'avais entendu *Le Sacre du printemps* pour la première fois sur disque en 1944. Alors je vivais en musique, écoutant des œuvres durant de longues heures jusqu'au milieu de la nuit. La musique est particulièrement apte au raffinement de la sensibilité. Rien n'imprègne autant le monde intérieur que les sons, à cause de la nécessité d'un passage par la durée, d'une ouverture à son action, comme si l'âme était littéralement mue et métamorphosée, comme si elle entrait en fusion.

J'oscillais entre Dieu et mon inconnue. J'étais aussi sensible avec Dieu qu'avec ma dame, avec la musique qu'avec la poésie. C'était mon niveau d'être. Comment ma calligraphie de cette époque n'aurait-elle pas été celle d'un adolescent de quatorze ans? J'avais sans doute l'ingénuité d'un enfant de quatorze ans, ce qui, à vingt-deux ans, ne facilite pas le contact avec le réel ni avec les femmes de chair.

Je constate aujourd'hui que je ne me sentais pas vraiment concerné par les problèmes de la société, même si j'étais alors en troisième année de sciences sociales. En fait, la société n'existait pas pour moi. Je m'étais mis à l'écart, paralysé par ma timidité. Je ne trouve, dans mon journal, aucune référence à des questions concrètes de la société. Seule la nouvelle de la condamnation d'un Noir à deux ans de prison pour «viol visuel» (à soixante pieds de distance), avait attiré mon attention. Cependant il s'agissait pour moi beaucoup plus d'une grave injustice, et ressentie comme telle, que des maux de la minorité noire. Certes, il y avait eu la découverte des camps nazis et des camps dits sibériens, mais là encore cela restait sur le plan humain, émotif plutôt que social.

Sans résistance nerveuse, je tombais facilement dans un état dépressif dont se ressent chaque page de mon journal. Je devenais monotone de mélancolie. J'aurais pu écrire comme Maine de Biran: «La joie me paraît être un sentiment passager, hétérogène à ma nature.» En fait, dans mon journal, je parle d'ennui, de timidité, de tristesse aussi souvent que le philosophe royaliste. Quelle grisaille! Le travail de bureau me vidait. J'étais frappé d'épuisement gris, comme un arbre alourdi dans la brume. C'est ainsi que j'écrivis le premier poème que je conserverai dans *Ces anges de sang*, soit «Nos yeux dans le vent». Ces poèmes étaient mon secret. Alors que tout mon entourage — qui ne comprenait pas cet ermite de vingt ans — me prédisait un échec, je ripostais silencieusement en sautant leur mur, en me donnant à la poésie, en faisant de celle-ci, sans que rien ne m'y ait préparé, le souci premier et essentiel de ma vie. L'écriture sera ma seule respiration, mon seul espoir d'être.

3

En ce début de l'année 1953, un ami prétend que je vis sur le plan d'un humanisme émotif, que ma sensibilité prédomine au détriment d'un «virilisme intellectuel». Au rationalisme thomiste, à la souveraineté de la raison raisonnante, j'oppose la primauté de la volonté propre à l'école franciscaine. Je commence même à vouloir réagir contre la lamentation et l'effondrement.

Durant cette période je fais la découverte de la métaphore dans la poésie moderne, en lisant le *Tombeau d'Orphée* de Pierre Emmanuel. Je prends donc conscience de l'image moderne avec un poète postsurréaliste. J'ignore encore tout de Breton, Éluard, Desnos ou Aragon. À la suite d'Emmanuel, je tomberai vite dans l'outrance, mais c'est par et dans ce paroxysme que je me libérerai, que je parviendrai à la véritable image poétique conçue comme la perception d'une nouvelle réalité, d'une nouvelle relation entre deux réalités (Reverdy). Après ma lecture d'Emmanuel, j'écrivis la première version du «Christ galérien». Je remarque, dans une lettre à un ami, que désormais ma poésie «s'oriente vers l'univers intérieur». Ce fut une période intense d'écriture; ce fut, en fait, la naissance de ma poésie. Je n'avais écrit que cinq ou six poèmes avant d'en arriver aux premiers poèmes de *Ces anges de sang*. Quand je relis mon premier livre, je ressens toujours des élancements, comme si ces vers étaient à vif, obscènes, pareils à des moignons tendus.

Cette année-là, je m'étais immergé dans l'œuvre de Léon Bloy. Je lisais aussi des théologiens comme Garrigou-Lagrange et Serge Boulgakof. Je découvris Pascal. Je m'enthousiasmai pour Alain Grandbois et Saint-John Perse. Ne pouvant me procurer *Les Îles de la nuit*, je les transcrivis à la main; ce que je ferai pour les *Méditations d'un solitaire* et les *Lettres intimes à sa femme et à ses filles* de Bloy. Puis ce furent *Les Élégies de Duino*, les *Lettres à une musicienne* et les *Lettres à un jeune poète* de Rainer Maria Rilke. C'est probablement sous l'influence du poète autrichien que le symbole de l'ange, avec toute sa richesse, se manifestera dans mes poèmes. Après avoir été secoué et presque enivré par les émanations obscures et troublantes de Baudelaire, je lirai, grâce à Bloy, Barbey d'Aurevilly et surtout Villiers de l'Isle-Adam. Je fus soulevé par l'imagination de celui-ci et la maîtrise de son style.

> Tant qu'il y aura de la poésie sur la terre, les honnêtes gens n'auront pas la vie sauve.
> Il vaut mieux être dans les nuages que dans la boue, quelle que soit l'épaisseur et la solidité de cette dernière.
> Tu n'es que ce que tu penses: pense-toi donc éternel.

Je me sentais, on s'en doutera, en accord profond avec ces hommes qui me semblaient de ma famille spirituelle. J'étais réconforté et moins seul. Il en sera de même avec André Suarès à qui je m'attacherai passionnément. Suarès n'avait-il pas, comme l'a dit son ami Romain Rolland, une sensibilité d'écorché? Je me fortifiais en allant ainsi de solitaire en solitaire. De découverte en découverte, j'étais davantage conscient d'appartenir à un certain arbre spirituel. *Une saison en enfer*, que je transcrivis à la main, est un rameau de cet arbre. Dans la perspective du Corps mystique, je me trouvais aussi près des désespérés que des espérants. Bien que je fusse aux antipodes de toute révolte, les révoltés me gouvernaient dans la mesure où ils étaient descendus dans le labyrinthe et s'étaient battus avec le Minotaure. Leur audace, leur destin m'attiraient comme si j'avais été sous la sujétion d'une puissante sorcellerie. Je ne croyais qu'à l'intransigeance, à la passion, à la démesure, sans doute parce que j'étais si apollinien et solaire. Je ne vivais peut-être que par personne interposée. Je m'identifiais à tous ceux que j'aimais. Je vibrais comme eux. Je jugeais à travers eux. Je devenais prophète par eux et en eux. Je m'étais empanaché de leur tragédie. Quelle stridence traversait mes images! Quelle délectation! Je ne parvenais pas à me dégager de l'adolescence. Quelle curieuse forme d'apprentissage! On pourrait même parler de cet apprentissage par illumination-irradiation si caractéristique de Novalis, plutôt que de celui de Goethe qui se développe d'acquisition en acquisition, d'étape en étape de voyage. J'étais toujours enclos dans ma chambre. Comment n'aurais-je pas été intérieurement excessif jusqu'au déséquilibre? Le Corps mystique était pour moi une réalité vivante. J'étais si conscient des implications de la présence du Dieu «éternel», que je n'hésitai pas à faire dire une messe pour Mozart et Léon Bloy. On peut imaginer l'étonnement du prêtre qui dut se plier aux arguments de ma foi et de ma logique.

Tous ces grands esprits, bien que me nourrissant, m'enfonçaient davantage dans mon abîme, me dispersaient. Un poème comme «Citerne de soleil» est significatif de cette désincarnation. Mais «L'oiseau de l'aube», qui est une aspiration profonde à la liberté de la vie elle-même, est sans doute plus important. Dans un éclair, je franchissais la distance entre le *puits* et l'*aile*. Ma passion pour Rouault et Chagall était très révélatrice de cette tension. Je dédierai par la suite un poème à Chagall, «Langue de l'aile», et je ferai reproduire en frontispice de *Ces anges de sang* une eau-forte tirée de *La Passion* de Suarès et Rouault. Rien ne me bouleversa plus vivement que le *Miserere* de Rouault. Ma dimension doloriste, ma prédilection pour les *Mater dolorosa,* les Vendredis saints ne pouvaient que se complaire dans de pareilles œuvres. Est-ce là une explication suffisante? Je ne le crois pas. Encore aujourd'hui, je demeure, quoique plus serein et équilibré, toujours mû par les grandes œuvres tragiques, qu'elles soient littéraires, picturales ou musicales. Seuls les tableaux d'un Fra Angelico, d'un Lorenzetti, d'un Piero della Francesca, par exemple, qui atteignent une lumière intense et légère de haute spiritualité, me frappent autant. J'oscille entre les pôles du tragique et de l'illumination.

À cette époque je fus touché par la vie de Charles de Foucauld. Sans doute par romantisme, j'avais toujours été appelé par ce qui venait du désert. Les livres d'Ernest Psichari m'avaient envoûté pour la même raison. Un court instant, j'avais rêvé de devenir Père Blanc. Il y avait une sorte d'harmonie entre mon expérience intérieure et la poésie blanche du désert, en particulier pour l'être en moi qui se sentait «traqué par Dieu». Je répétais avec Bloy: «Il n'y a qu'une tristesse, c'est de n'être pas des saints.» Je me rappelais être né le jour de la fête de Notre-Dame de la Merci, c'est-à-dire Notre-Dame des Captifs. Je voyais là un autre signe de mon destin. À cette domination persistante de mon surmoi correspondait une impression de plus en plus douloureuse de désagrégation, de lassitude. «J'ai l'impression d'être le spectateur de ma propre décadence», écrivais-je dans mon journal. Je répétais avec T. S. Eliot: «Je suis las de ma vie et de la vie de ceux qui viendront après moi. Je me meurs de ma mort et de la mort de ceux qui viendront après moi.» Puis soudainement, le lendemain, je pouvais noter: «L'Espérance est la seule gloire de l'homme ici-bas. L'Espérance est le visage lumineux de la Charité.» Ou le surlendemain: «J'ai peur de devenir libre. Je suis un esclave libéré qui a la nostalgie de ses chaînes.» Ma vie avait un mouvement de pendule. J'allais de la joie exubérante à l'enlisement. Affligé d'une telle instabilité émotive, comment n'aurais-je pas été torturé par l'attente des réponses aux lettres que j'envoyais? Comme si j'avais été dépendant de la parole de l'autre. Comme si celle-ci avait été ma nourriture essentielle. Les instants où je composais un poème me semblaient des dons incroyables, des grâces mystérieuses. Je pensais comme Bloy: «La beauté est toujours tragique, car elle est le chant d'une privation.» N'étais-je pas privé du Paradis? de l'amour? Cependant il s'agissait d'une innocence *devant moi*. J'étais en espérance. Je n'avais pas de nostalgie. Bref, je continuais mon apprentissage dans une sorte de mimétisme passionné et innocent. Je n'étais pas encore conscient que j'avais commencé de vivre. Ces pousses miennes étaient trop fragiles, trop ténues, pour que je les acceptasse si simplement. Elles dépérissaient dans l'immense absence de tout ce à quoi mon désir aspirait, dans ce champ infini où s'orientait mon espérance.

Le véritable cri de ces années de souffrance immobile fut sans doute celui-ci: «Chaque membre de mon corps, chaque point de ma chair clame à la femme sa détresse... Je rêve d'une union charnelle qui serait en quelque sorte une œuvre d'art.» Puis je m'en remettais à Dieu et me tournais vers les murs de ma cellule. Comment n'aurais-je pas sublimé le moindre réveil du corps? En parlant d'œuvre d'art, je me donnais le temps de rêvasser, j'allégeais ma culpabilité qui n'attendait que le moindre signe d'une véritable incarnation pour être réactivée.

Cette année-là j'ai rencontré deux de mes meilleurs amis. Leur présence m'aida beaucoup à m'extérioriser. L'un était un enthousiaste, l'autre un hypersensible mélancolique. Ils m'apparaissaient comme les pôles vivants de ma propre tension secrète. Les deux étaient d'une grande générosité d'être, m'écoutant, me suivant dans mes rêves. Avec l'un je m'enfonçais dans Bloy, avec l'autre je partais en Mozart et Bach. Ce sont eux qui me révélèrent le plaisir de boire une bouteille de vin avec un morceau de fromage. C'était la première fois que j'avais un plaisir de table, que je savourais cet instant de relation chaleureuse s'établissant grâce au vin. J'aurais pu dire, comme l'Henri d'Ofterdingen de Novalis qu'«on ne pouvait plus voir le mal: comment le désir humain aurait-il pu se détourner de cet arbre-là pour chercher le dangereux fruit de la science à l'arbre de la guerre? Il comprit à cette heure le vin, les nourritures. Il les jugea infiniment exquis.» Je ne connaissais pas encore *Les Robāïates* d'Umar Khayyām. Ces poèmes-là m'auraient sans doute paru légers et insupportables. Celui qui avait écrit: «Je bois du vin, et ne gaspille pas ma vie en de vaines lamentations», celui-là n'aurait pu être mon frère. Comme je ne faisais que me lamenter, comment aurais-je pu me sentir des affinités avec le Persan? Je n'étais pas assez humain. Les sages de toute façon m'exaspéraient. Je n'acceptais que ceux qui allaient brûlant comme des torches. J'étais étranger à l'ironie d'un Socrate, et n'avais aucun soupçon de la dimension de l'humour. Est-ce que je vivais de la douleur et de la passion des autres, parce que moi-même je n'étais pas vivant, que je n'avais pas vécu? J'avais tout de même existé durant vingt-trois années! Dans cette durée il y avait eu des joies d'enfant, des émerveillements, de l'amour filial, des accords merveilleux avec les œuvres des hommes, des désespoirs, des tourments, des femmes très belles passant devant mes yeux comme des êtres de songe: est-ce que tout cela n'était pas de la vie? Peut-être pas la vie rêvée de l'*ailleurs*, mais tout de même c'était *ma* vie. Qui aurait pu prétendre que je n'avais pas vécu, sinon moi-même, et cela par rapport à une faim d'être, à une espérance qui sont le propre des hommes en mouvement? On aurait pu croire, et avec raison, que c'était mon propre masochisme, mon dualisme indéracinable qui me poussaient à l'absurde, dans cette tentation incessante d'angélisme, «péché, disait

Maritain, qu'on n'abandonne point sans brûler». Mais, pour parler comme je le faisais, il fallait que je me réfère à des «cadres de vie» propres à l'extériorisation, aux actions héroïques, aux combats avec le réel, ou à des indices de la simple agitation de la plupart des hommes. Aujourd'hui, pour celui qui a pris une distance vis-à-vis de la guerre ou du capital, par exemple, il n'est pas sûr qu'il s'agisse là de sphères d'action dont se réclament les plus ardents. Comment les aventuriers modernes pourraient-ils les éblouir réellement quand aujourd'hui les jeunes peuvent entrer en contact avec l'Afrique ou l'Asie en quelques heures? On aura d'ailleurs vite fait le tour de l'image idéalisée des astronautes. Il y a des mythes d'une certaine extraversion, d'un certain empire de la «vraie vie», qui sont en train de disparaître. Si on a remplacé le modèle du saint par celui du terroriste sincère (type Che Guevara), on voit que celui qui veut donner sa vie, qu'il soit ou non lié à Dieu, demeure le modèle, le seul modèle résistant à l'effritement des valeurs. La valeur de ce plus grand don n'est pas près d'être niée. Quant aux héros militaires, surtout depuis la guerre du Viêt-nam, on sait qu'ils marchent la tête basse. Que ne feraient les esprits militaristes, les ersatz de l'Autorité, les justiciers de l'Ordre, pour redorer les galons des robots? Toutes ces images, durant ma jeunesse, faisaient partie d'une flamboyante mythologie d'origine le plus souvent littéraire ou filmique (pensons aux *Lanciers du Bengale*), laquelle nous exaltait par son exotisme, par ses ouvertures spectaculaires, au point de nous acculer à mettre en balance des élans de vie intérieure avec les aventures d'une chasse à la baleine. L'inconnu ne pouvait que nous griser. C'étaient des images d'un audacieux possible qui accaparaient la conscience après avoir traversé toutes les strates de l'inconscient et de l'imagination. Nous étions forcément des créateurs d'images, puisque le réel, le monde ne venaient pas encore à nous par la télévision. (À quoi peuvent songer les adolescents d'aujourd'hui?) Mais tout est de la *vie*: que ce soient l'ascension d'un Joseph de Copertino en extase, les combats en écriture d'un Baudelaire, l'exil d'un Gauguin dans les paradis lointains, les longs vols d'un Mermoz et les expéditions en Amazonie, rêvées ou non, d'un Cendrars. Il me faudra tout de même passablement de temps avant de pouvoir discerner les extravagances de l'angélisme, et ne pas les confondre avec la silencieuse aventure en *soi*, avec la poursuite d'une quête intérieure. Or je souffrais en totale confusion, dilapidant mes désirs sur les traces infinies d'une poussière lumineuse.

TOI

1954-1955

1

Ce pauvre diable d'amoureux qui va jurant
Que non les corps mais les esprits s'épousent
John DONNE

«Il faudrait que cet amour soit l'élargissement de mon être pour enfin aimer le Christ avec un cœur qui se dépasse infiniment.»

C'est par ces mots que j'accueillis l'amour qui en moi surgissait. En regardant cette jeune fille aux yeux si tristes, je fus brûlé. Ce soir-là je confiai à ma mère que j'épouserais cette femme. Alors la souffrance me couvrit de sa nuit. J'aimais quelqu'un qui, durant le premier mois, n'a pas correspondu à mon amour. À ce moment-là, elle était presque désespérée, désemparée, et plus que tout craignait l'amour. Pour elle, je n'étais qu'un camarade. Je trouvais cela tout à fait insupportable. La terre s'ouvrait sous mes pieds. J'avais eu le coup de foudre. L'amour emportait tout comme un véritable raz-de-marée. Je n'étais plus qu'un typhon, qu'une passion prête à dévorer. Comment celle que j'aimais n'aurait-elle pas été un peu sceptique? Elle avait une nature fataliste qui lui faisait suspecter les notions de bonheur et même d'amour. Quoique un peu craintive, comme tout être ayant été blessé gravement (elle avait perdu sa mère à l'âge de quatre ans), ayant reçu certains coups durs, elle avait un équilibre et une maturité incomparables. Elle était très intuitive. Sinon comment aurait-elle pu sentir la vérité de mon être derrière ce masque angélique d'éternel adolescent?

Un soir que nous étions invités chez mon meilleur ami, je devins jaloux désespérément. C'était une jalousie qui avait l'ampleur d'un séisme. Le moindre sourire entre eux, la moindre complicité, le moindre accord me déchiraient. J'étais tellement malheureux qu'en quelques heures j'atteignis ce paroxysme où la souffrance morale est si envahissante, écrasante, qu'elle me faisait marcher en titubant, à demi-conscient. J'étais ivre de douleur. Celle que j'aimais et mon ami se rendirent compte de la force de ma passion. Ce souvenir est demeuré lié dans mon esprit à la chanteuse Maggie Teyte, aux chants de Duparc et de Reynaldo Hahn, à «Psyché», «Chanson triste», «Offrande», et «L'Heure exquise». La semaine suivante j'étais beaucoup plus paisible. En quittant mon «amour», je lui pris le visage entre les mains et l'embrassai si affectueusement et tendrement que toute femme n'aurait pu qu'être convaincue de l'authenticité de mes sentiments. Quinze jours plus tard, elle acceptait de devenir ma fiancée. Nous nous fiançâmes le mois suivant, un dimanche de Pâques ensoleillé.

Quelques jours avant nos fiançailles, mon «amour» fut retenu au lit par une attaque de rhumatisme à la suite d'une légère opération. À l'âge de dix ans, elle avait été touchée par un rhumatisme articulaire aigu. Une sténose mitrale en avait résulté. Deux jours avant nos fiançailles, elle marchait avec peine. J'entrai dans un souterrain, assailli par le doute et désespéré. C'était le Vendredi saint. Voilà que je doutais de mon amour. Une force mystérieuse me poussa malgré tout aux fiançailles. Dès que cette première union fut accomplie, je retrouvai la sérénité, la confiance, la certitude. Je redevenais l'espérant. Ma fiancée pouvait marcher de nouveau. Elle m'apparaissait toute rayonnante et joyeuse comme elle ne l'avait jamais été. Certes, je ne lui ai pas promis le bonheur. Comme Kafka écrivant à Felice, je me sentais bien impuissant à rendre heureux qui que ce soit. C'est d'ailleurs une notion qui m'est étrangère. Qu'importe, je pouvais lui dire et lui faire vivre cette chose beaucoup plus miraculeuse: *je l'aimais*.

Très vite, on peut s'en douter, je fus tourmenté par ma conscience morale. «Après de longues étreintes, des baisers sauvages, quelque part sur une butte de sable, il ne me reste que l'angoisse du péché, une impression de grand vide, et même de dégradation.» Il ne s'agissait que d'une manifestation de sensualité innocente, mais la conscience du possible péché me grugeait. «Je deviens artisan de la destruction du Corps mystique, ajoutais-je. J'ai retardé le Royaume de Dieu par ma légèreté.» C'est avec une telle conscience hypersensible du tragique, une telle tendance à la démesure que m'avaient instillées mes maîtres Léon Bloy et Dostoïevski, et cette sensibilité aux conséquences infinies que j'attribuais à mes actes affectueux, que j'atteignis le mariage, dix-huit mois plus tard. Heureusement que ma fiancée était plus forte que moi, plus accomplie. J'étais tiraillé par l'exaltation sensuelle et par la culpabilité. C'est durant l'une de ces crises morales que je transcrivis à la main le *Mystère de*

Jésus de Pascal. Ce n'était pas une méditation pour me rassurer.

Non seulement j'étais tyrannisé par ma conscience morale, mais je vivais dans l'angoisse. Je craignais à tout instant de voir périr notre amour. Je craignais la mort de ma fiancée. De toute façon, je vivais sans cesse avec la pensée de la mort, et cela depuis longtemps. Est-ce que ce penchant excessif me venait de mon père? N'avait-il pas écrit dans un petit carnet blanc au moment de ses propres fiançailles: «Aimer! aimer c'est vouloir se créer des déceptions, des pleurs. Aimer, c'est la mort!» (mot que Goethe avait lui-même noté). Cette découverte d'un «mot» de mon père m'avait dérouté. En fait, cela n'avait rien d'étonnant, au contraire. Lorsque mon père riait, par exemple, il gémissait plus qu'il ne riait tant son rire était l'explosion d'un être introverti. Je lui ressemblais beaucoup. Je n'arrivais pas à m'extérioriser. Rien ne passait. Je vivais avec cette idée de Suarès: «Il est terrible de manquer de sainteté, quand on y aspire.» Je vivais avec la mort. Tout ce que j'écrivais me semblait les premières lignes d'un testament. J'accordais une importance exagérée, dramatique, à tout ce que je faisais, incapable de relativiser le moindre acte. C'est pourquoi, même amoureux, j'étais souvent triste, déprimé. Mon travail quotidien ne facilitait pas ma libération.

J'écrivis très peu cette année-là. (Je me souviens d'avoir composé «Sanglots d'aile» à la suite de la conviction d'avoir perdu la grâce.) J'étais tellement en «ardence», qu'il m'était difficile de trouver le silence nécessaire. Balzac a merveilleusement exprimé cet état d'âme dans *Massimilla Doni*: «Quand un artiste a le malheur d'être plein de la passion qu'il veut exprimer, il ne saurait la peindre, car il est la chose même au lieu d'en être l'image.» De toute façon je doutais beaucoup de moi. J'avais besoin d'être rassuré. Durant l'année d'écriture de *Ces anges de sang*, j'envoyai mes poèmes à Clément Lockquell, Alain Grandbois et Pierre Jean Jouve, lesquels me confirmèrent ma «vocation» de poète.

Je répétais souvent: «J'ai la nostalgie de ce que je sens venir, et non de ce que je sens mourir...» Je m'élevais de plus vivement contre les prétentions du surréalisme à être un substitut de la vie religieuse. À Matisse qui avait affirmé qu'il cherchait un art lénifiant «analogue à un bon fauteuil», j'opposais l'univers tragique de Rouault. J'étais inflexible. Je n'admirais que quelques écrivains et artistes. André Suarès fut de ceux-là.

Quand il parlait de ce qu'il aimait, homme, paysage d'Italie, œuvre d'art, Suarès était génial. Sa chaleur m'embrasait. Quelle nourriture pour moi! Avec lui je transhumais vers les cimes, ou j'explorais les grottes. C'étaient sa configuration et le feu de son style qui m'enthousiasmaient. Mais il n'était pas vraiment une nature religieuse, ou plutôt l'art était sa religion comme il le devint pour Malraux. Parlant de «mon» Pascal, il remarquait: «Une grande âme qui croit est toujours triste. — Mais la maladie originelle et mortelle de l'origine, qui la guérit? — C'est la vie.» Son esprit entrait en fusion. Tout le faisait souffrir. «Il est insupportable de voir cette foule d'hommes s'accoutumer à ne rien être qu'un peu de chair qui pourrit sur place.» Son univers s'était enraciné dans le cœur. De là venaient toute sa force, sa faiblesse, et la qualité de sa sensibilité. «Plonger toutes les idées dans l'amour, et en donner l'émotion, non plus la notion. Telle quelle, voilà la musique que je veux dire.» Rien n'est plus à l'antipode d'une certaine «modernité» agonisant dans la volonté de démonstration, dans l'obsession des «idées» et du fondement scientifique. Parce que Suarès aimait avant tout, il pouvait s'identifier facilement à ce qu'il admirait. Regardant Dostoïevski, il avait écrit:

> Pour lui et pour toute sa race, il embrasse le parti de l'amour souffrant [...]. Dostoïevski ne joue pas le drame des passions, il est sur la croix avec elles.

Suarès, évidemment, parlait de sa propre passion. Au moment où la frénésie du changement n'avait pas contaminé les hommes authentiques, une certaine continuité de passion, et par conséquent d'angoisse, de souffrance, imprégnait les moindres instants de leur vie. Le long gémissement n'était pas suspect à qui pouvait être. Qu'on pense à la mélancolie de Kierkegaard! Avec la mort de l'être vint l'obsession du changement. Seuls les changements continuels pouvaient calmer ceux qui se fuyaient à la vitesse d'une nébuleuse. Les mirages du changement tissent une fausse continuité d'être, là où rien ne s'enracine, là où le vent soulève le sable. Comment n'aurais-je pas été convaincu que les «grands rêveurs» sont les grands vivants? Où ils semblent s'éloigner le plus de la vie, dit Suarès, ils y touchent encore de plus près que les autres. Et il ajoute: «Les grands Français ont toute la force dans l'esprit. La plupart, ils n'ont pas la profondeur qui est si naturelle aux âmes religieuses.» (Jorge Luis Borges accusera même les Français de se défier «de toutes les ferveurs», de refuser les «émotions élémentaires». Comme lui, je serais tenté de tourner le dos à une grande partie de cette «littérature faite en vue de ses historiens», de lui reprocher son manque d'*innocence*.) Voilà pourquoi une certaine pensée française me demeurera tout à fait étrangère, que ce soit la rationalité du siècle des Lumières, ou celle qui se veut très scientifico-marxiste des bourgeois du XXe siècle.

Cette année-là, j'ai découvert Pierre Jean Jouve par son journal *En miroir*. «La Poésie, dit-il, est l'expression des hauteurs du langage.» Cette identification qu'il y a, chez Jouve, entre la poésie et son âme s'exprimant face à Dieu, l'Absolu, me semblait la voie. En cela il n'était pas vraiment français. La poésie a chez lui un caractère de sacralité auquel d'instinct je m'accordais. Or Jouve était, comme il l'a dit, un torturé par le *silence*. Il était si respectueux à la fois de la parole et du mystère, qu'il doutait de ses moyens. On ne pouvait qu'admirer cette passion qui le retranchait des jeux où chacun s'efforçait de surprendre, de briller, pour mieux réussir à percer dans le monde littéraire. Ceux qui désespèrent aujourd'hui de la poésie sont tout de même plus présomptueux et arrogants. Non seulement veulent-ils détruire la poésie, mais ils y opposent la grande marche des «idées». Il n'y a que des morts cultivés qui peuvent avoir une telle assurance. Ils sont d'ailleurs bien payés en rationalité; la mort le leur rend bien. Et comme Pierre Jean Jouve préférait par humilité vraie — bien qu'il soit d'une altitude aristocratique comme Saint-John Perse — le silence à l'agitation, la passion à la démonstration, les médiocres l'ignorèrent. Il poursuivit sa quête dans une solitude presque totale.

Une chose me frappait chez lui: il avait découvert la musique avant la poésie. C'était le chemin que j'avais suivi. Il avait écrit: «[...] en une disponibilité douloureuse, j'attendais.» N'était-ce pas toute ma vie? Il affirmait que «la plus grande poésie et la véritable est celle que le rayon de la révélation est venu toucher». Or, pour moi, la poésie avait sa source dans l'Incarnation et dans la Rédemption. L'unité des deux natures en la personne du Christ me semblait le modèle de toute tragédie, et même de toute image poétique. La durée intérieure était marquée, chez Jouve, par le feu de l'Éros et le foudroiement de la Mort. Ne venais-je pas de m'éveiller à Éros, de souffrir par lui ce que je croyais la mort de l'âme? Jouve parlait de l'amour et de sa «culpabilité inguérissable». Comment ne me serais-je pas vu en Jouve comme dans un miroir? Il s'élevait contre l'automatisme: «L'artiste est celui qui met sa mort en valeur.» Il avait une admiration fervente pour Mozart et la musique. On sait ce qu'avait été Mozart pour moi... Après *En miroir*, je commençai la lecture de *Commentaires*. Il avait une telle exigence! Il me faisait prendre conscience des tensions de l'inconscient dans une aire où le religieux dominait. Par la suite, j'ai lu presque toute son œuvre. Il demeure l'un des rares poètes que je relis. Nul n'a écrit depuis Baudelaire des poèmes dont l'érotisme soit aussi vrai et tragique. Et quelle musicalité! quelle «poéticité»!

> Des glaïeuls sur elle la plus belle se balancent,
> il fait beau sur sa pierre à mourir de ciel bleu.

En lisant Jouve, je ressens toujours la même impression de toucher de l'âme, la même émotion devant la beauté: une beauté que seuls Mozart, l'adorant, et quelques rares créateurs ont vénérée.

À la même époque, j'ai lu et admiré *Les Enfants humiliés* de Bernanos. Ce type de livre me captivait davantage que le roman.

> J'écris comme je souffre ou comme j'espère [...]. On me pressait de devenir un garçon pratique sous peine de crever de faim. Or, ce sont mes rêves qui me nourrissent.

Bernanos m'enracinait dans la conviction qu'on ne fait

jamais, enfant, des rêves assez exagérés. Il faut peut-être rêver de sainteté pour choir en poésie. Les rêves inaccessibles permettent de passer à travers le feu nourri des échecs, des humiliations et des coups durs. Lentement ils fortifient notre âme. Ne pourrait-on pas redire avec Bernanos: «Le monde n'a plus le temps d'espérer.» Car espérer, c'est attendre, c'est porter souvent en soi un silence grave dont bien peu sont capables.

Puis j'ai lu Rilke, Charles Cros, Milosz, Élie Faure, la correspondance d'Héloïse et Abélard, les *Hymnes* et *Élégies* de Hölderlin. D'instinct, je me tournais vers les grandes œuvres du cœur, vers les incandescents. Après le mouvement du cœur, chez un Hölderlin, et son immense puissance poétique, le forcement des «intelligents» m'ennuyait, la prétention des «malins» me dégoûtait. C'est dans ces dispositions qu'à l'automne j'ai rencontré un Hongrois qui savait vivre intensément, avec cette passion bizarre, parfois déconcertante, tyrannique de quelqu'un en exil. Il vénérait Bloy, Henry Miller, Frédéric Karinthy, Sandor Török (qu'il traduisait), Bartok, Kodaly, et tout ce qui était hongrois! J'ai découvert par lui André Ady, le Baudelaire hongrois, et l'œuvre de Henry Miller, laquelle sera capitale dans mon évolution.

2

Au début de février, je commençai la lecture du *Tropique du Capricorne*. Ce fut, sans que j'en aie été conscient, la première phase d'une restructuration de ma vie affective. Vision par vision, mot par mot, l'œuvre de Miller me forcerait à affronter les représentations de mon *ça*. Miller éveillait ma sexualité brute. Il était l'apprenti sorcier qui mettait en marche des forces inconnues chez les autres. Je serais seul à être traqué, à être broyé. Il me laissait glisser dans mon propre enfer, non sans me laisser une échelle pour fuir. En le lisant, je m'agrippais aux forces lumineuses de Miller, au clown Auguste du *Sourire au pied de l'échelle* (thème d'une aquarelle que Miller m'enverra en cadeau). Je trouvais mille raisons de le statufier, de le vénérer. J'en faisais mon frère, presque mon double, montant vers le grand Dieu paisible et cosmique; en fait, je me servais de Miller contre Miller lui-même, m'efforçant de désamorcer les remontées de mon propre inconscient. Je m'engageais dans un corps à corps avec l'obscénité, envoûté et troublé à la fois par cet immense dérèglement, par cette impitoyable «mécanique érotique», par ces projections épiques de la vie sexuelle. Gravitaient autour de ma conscience une multitude d'images obscènes, de monstres et d'anges poursuivis. Il y avait dans cette irruption d'images une sorte d'afflux de la transgression dans mille situations concrètes et imaginaires. Comment, dans cette rêvasserie, démêler le réel de l'imaginaire? L'ange régressait. La grande lumière lustrale pâlissait. Je marchais vers une défaite de ma vision, mais surtout vers cet homme qui connaîtrait le poids de l'humain avec toute son âpreté et la puissante séduction d'une sensualité ardente. J'avançais dans une nouvelle région de l'être. Je m'apitoyais sur les conflits de Miller, cherchant les traces de sa «dignité», de sa ferveur, de sa démarche vers Dieu. C'était mon alibi inconscient. Car, bien entendu, l'aventure de Miller est un mouvement vers Dieu, mais vers un Dieu qui m'était inconnu. Ce n'était certes pas le Dieu de mon éducation, le Dieu des sacrements, «notre» Dieu chrétien. N'avait-il pas découvert «Dieu» par le Zen?

> Car il n'est au monde qu'une seule aventure: la marche vers soi-même, en direction du dedans, où l'espace et le temps et les actes perdent toute importance.

N'y avait-il pas dans ce premier livre de Miller que je lisais — malgré le venin de l'obscénité qui, sans que je me l'avouasse, m'ensorcelait — , n'y avait-il pas une fête rituelle, en contrepoint, sacralisant la terre et l'homme? Je m'accrochais à cette énergie dionysiaque, car elle était le contrepoids idéal du tumulte souterrain.

> La terre n'est qu'un grand être unique et sensible, une planète saturée de part en part d'humanité, une planète vive et qui s'exprime en bafouillant, en bégayant.

L'Américain avait quelque parenté de vision avec Teilhard de Chardin. Regardant l'homme, Miller remarquait:

> Il faut dépasser la pitié si l'on veut que la sensibilité parte des racines mêmes de l'être. On ne fabrique pas un nouveau ciel, une nouvelle terre avec des «faits». Il n'y a pas de «faits». Il n'y a qu'un seul fait, qui est que l'homme, n'importe quel homme, n'importe où dans le monde, est en voie d'ordination.

Et je n'aurais pas été embrasé par ce lyrisme? Qu'y avait-il derrière ce carnaval du sexe dans son œuvre? Que cherchait cet homme?

> Et quand je la baiserais, alors? Qu'ai-je à dire à ce genre de fille? Qu'est-ce que baiser, quand ce que je cherche, c'est l'amour? Oui, cela me

> prend tout à coup comme une tornade...

Miller m'apparaissait comme un écrivain du cœur. Comment n'aurait-il pas aimé fraternellement Joseph Delteil?

> On ne cultive pas son intelligence. Tournez-vous vers votre cœur et votre gésier — c'est dans le cœur que se trouve le cerveau.

Il me donnait une vivante leçon:

> Je ne dis pas que Dieu n'est qu'un énorme rire: je dis qu'il faut rire dur avant d'arriver à approcher Dieu. Mon seul but dans la vie, c'est d'approcher Dieu, c'est-à-dire d'arriver plus près de moi-même.

Puis emporté par sa propre exaltation bouddhique:

> [...] *je suis un ange.* Ce n'est pas tellement la pureté de l'ange qui compte, que le fait qu'il a des ailes. [...] J'avais dépassé l'extase.

Quel exemple pour le faux ange que j'étais! Je m'efforçais de survoler les autres, tournant autour de moi-même, tandis que je n'avais pas atteint le premier degré d'une perception de ma propre réalité. Avec Miller, ô paradoxe, j'apprenais qu'on ne peut assumer l'ange qui tend ses ailes en nous, qu'en apprenant à être homme.

C'est à la suite de la lecture de ce livre de Miller que j'écrivis mon poème «Banquise».

Je me jetai aussitôt sur le *Tropique du Cancer*, avec la passion d'un oiseau de proie. La première phrase de cette œuvre nous atteint comme un coup de cravache sur l'âme:

> J'habite Villa Borghèse. Il n'y a pas une miette de saleté nulle part, ni une chaise déplacée. Nous y sommes tout seuls, et nous sommes morts.

Puis, vers la fin, Miller fouille notre âme avec ce cri semblable à celui de Rimbaud ou de Lautréamont:

> Il se peut que nous soyons condamnés, qu'il n'y ait aucun espoir pour nous, *pour personne d'entre nous*, mais s'il en est ainsi, entonnons un dernier hurlement, hurlement de souffrance atroce, à glacer le sang [...].

Je lus toute l'œuvre de l'Américain. Dans son *Rimbaud*, par exemple, il y avait des faisceaux aveuglants:

> Mais le génie n'apprend jamais rien. Il est né en rêvant le paradis et, quelque fou que cela paraisse, il luttera, luttera encore pour le rendre réalisable [...] Fait pour l'extase, le poète est semblable à un oiseau somptueux et sans nom embourbé dans les cendres de la pensée. S'il réussit à se libérer, c'est pour accomplir un vol sacrificateur vers le soleil.

Et dans *Max et les Phagocytes*:

> Le jour où nous cesserons de donner la mort — non seulement dans le présent et dans les faits mais dans nos cœurs — nous commencerons à vivre... L'enfant n'a pas besoin d'écrire, il est innocent.

Tout chez cet homme me fascinait. Je répondais à tout comme une caisse de résonance. Il n'avait qu'à me toucher, et j'entrais en état de vibration chaleureuse. J'acceptais tout de lui. C'est par cette docilité fervente, par cette malléabilité, que peu à peu l'équilibre de ma conscience serait modifié et que les énergies de ma véritable personnalité seraient libérées. J'étais alors, sans le savoir, comme un oignon dont on enlève pelure sur pelure. Ce type idéal du Canadien français que j'étais pour mes proches s'effritait. J'étais assiégé. Miller avait placé en moi une charge de dynamite. J'allais avec un moi miné. Consciemment, toutefois, je m'attendrissais sur Miller, déplorant qu'il ne fût pas chrétien.

Au mois de mars, j'écrivis ma première lettre à Miller et il me répondit. Cet échange de lettres dura environ six ans. Presque aussitôt je relus son œuvre en prenant deux cents pages de notes. J'avais l'intention d'écrire un essai. À cette fin, Miller m'envoya même un extrait inédit de son livre à paraître, *Big Sur et les oranges de Hieronymus Bosch*. À cause de diverses circonstances, en particulier de mon travail sur Varèse, qui m'avait paru plus urgent, je n'écrivis jamais cet ouvrage.

Durant ces premiers mois de 1955, je lus les *Histoires sanglantes* et les *Aventures de Catherine Crachat* de Pierre Jean Jouve. Puis *Seraphita-Seraphitus, Louis Lambert* de Balzac, sous l'influence de Miller; des ouvrages de Suarès, de Henri Michaux, d'Erskine Caldwell, de Milosz et de Villiers de l'Isle-Adam. Après la lecture de *L'Histoire, un essai d'interprétation* d'Arnold Toynbee, j'eus la chance de rencontrer l'historien. Il était d'une simplicité aristocratique. Il écoutait avec une grande attention, me posant des questions sur la situation et l'évolution du Québec. Il m'avait dit avec la plus étonnante sincérité: «Je ne sais plus ce qu'est le corps ni l'âme, mais grâce à Teilhard de Chardin explicitant mes intuitions, j'arrive à mieux voir.»

Après *Stèles, Peintures* et *Équipées* de Victor Segalen, et *De l'esprit bourgeois, Le Sens de la création* de Nicolas Berdiaev, je fis une lecture plus attentive des *Chants de Maldoror*. Je pris surtout conscience des formes baroques de l'agressivité. Bachelard me guidait. Je fondai ma lecture sur mon propre réseau de symboles. Cet essai intitulé «Lautréamont et le détour de Maldoror», après avoir été lu à la radio, fut publié par François Hertel dans sa revue *Rythmes et Couleurs*, mais avec le titre modifié (coquille?): «Lautréamont et le retour de Maldoror».

Bref, en cette fin d'année 1954, j'étais à bord du vaisseau des Phéaciens. La dérive apparente était commencée. Mais le navire me guidait, comme le cheval guida Guillaume IX ou Don Quichotte:

> [...] et ainsi il se calma et poursuivit son chemin sans en tenir d'autre que celui où son cheval le conduisait.

3

> *Quand m'apparut plus tard la grande beauté qui tant me fait gémir.*
>
> DANTE

J'approchais du jour de mon mariage. La passion m'incendiait. Et je n'étais plus qu'une plaie vive abandonnée à ma conscience. J'écrivis dans mon journal: «Toute dégradation, morale ou non, blesse profondément parce qu'elle est toujours liée à un absolu, quels que soient son niveau et son ordre. Si parfois on peut oublier l'aspect moral et religieux d'un acte, on n'ignore jamais, au plus obscur de la conscience, l'idéal de l'enfant et de l'adolescent qui demeure en nous.» L'ombre de Bernanos me recouvrait. C'était là une réflexion significative. Je commençais à distinguer ce que j'appelais les motivations de la religion et de la morale (alors toujours liées pour moi) de ce rêve de grandeur que fait chacun de nous; en d'autres termes, cela signifiait que je discriminais la morale positive, objective, et la morale individuelle, subjective. Je commençais à comprendre que le dernier juge de mes actes était ma propre conscience, et non la morale juridique à laquelle s'identifiait ma conscience. Je venais d'ébranler mon surmoi, de lézarder cette superstructure impersonnelle qu'on m'imposait, qui me terrifiait, qui me paralysait depuis mon enfance.

Je marchais vers le mariage tout ardent et tout coupable. Le mariage m'apparaissait comme le premier signe de libération de ma conscience morale. Avec le sacrement, c'est-à-dire la permission explicite de Dieu, je pourrais me livrer à mon embrasement, m'anéantir, me refondre, afin de renaître de mes cendres. J'ignorais qu'il me faudrait beaucoup plus de temps pour me redresser comme un nouvel homme.

J'avais appris, au printemps, que ma fiancée était cardiaque. Le spécialiste avait même fait allusion au danger d'avoir un enfant. Naturellement j'avais tendance à tout aggraver. J'allai donc au mariage en me disant que j'épouserais ma fiancée même si elle ne devait vivre qu'une année. C'est avec cet état d'âme, sans repos, que j'arrivai le 9 juillet 1955 au pied de l'autel, en la chapelle Notre-Dame de Lourdes. Durant la messe, je pleurai d'émotion, tandis que l'orgue appelait Bach et Mozart, m'entraînant dans une exaltation à faire éclater le cœur.

Ma lune de miel fut un éblouissement. Comment ne pas recourir à la magie de Dante?

> Si plaisante la vis-je en bliaud vert
> qu'elle aurait fait jaillir dans une pierre
> l'amour que mon cœur porte à sa seule ombre,
> la souhaitant sur un beau préau d'herbe
> enamourée comme onque ne fut dame,
> dans un pourpris de très hautes collines.
> (Trad. A. Pézard)

Je caressais ce corps de splendeur avec fébrilité, fougue, ferveur comme si je venais de me réveiller au sommet du monde. J'avais la simplicité du cœur amoureux. Par ce corps, en ce corps, j'étreignais pour la première fois la terre, les éléments, la matière. Et quelle lumière irradiait de cette chair où s'engouffraient mes rêves! Avec ce corps pudique et neigeux de rose, j'accomplissais le rituel de l'amour, comme si à chaque acte je renaissais. Jamais je ne prenais mes maladresses au sérieux ou au tragique. Ma formation franciscaine et le rire rabelaisien de Miller m'avaient immunisé contre l'amour-propre blessé. J'acceptais mon *innocence*. Si bien qu'il ne pouvait pas y avoir de défaite, puisque les faux archétypes du mâle n'existaient pas pour moi. Avec des âmes d'enfant nous évitions les cruelles blessures qui menacent les nouveaux couples. Nous n'avions qu'à nous fondre l'un dans l'autre et, ainsi soudés, en état de braise, nous remontions aux origines de l'homme et du monde. Nos épaules étaient allégées de la sombre carapace que des siècles et des siècles de civilisation avaient formée. Ce fut la communion de deux êtres s'unissant, de jour en jour, comme si le jour même naissait avec leur acte; comme s'ils étaient responsables de la montée du soleil; comme s'ils étaient l'ombilic par lequel l'âme de l'homme était nourrie de merveilles, de chaleur et d'espérance. En nous l'aventure de l'amour et tout l'univers étaient en jeu. Oui, c'étaient à la fois le grand jeu et la plus grave nécessité. Nous assumions candidement la détermination inscrite au fond de cette race dont nous étions des éléments. Mais cette nécessité était abolie, transcendée dans le jeu, dans la poésie qu'était notre accord sensuel, chaste et divin. Tous deux nous étions en transmutation l'un par l'autre. Nous devenions un nouvel être. Comment pourrais-je revivre un tel instant? Où retrouver cette simplicité tendre et émerveillée?

Je peux très naïvement confesser que la beauté du corps de la femme m'a subjugué. J'en suis resté à jamais ébloui et désirant. Rien ne m'attire aussi puissamment, qui apparaît dans l'ordre du visible. C'est à la fois la mer, les larges ouvertures d'eau et de terre entre les cimes des Alpes, les précipitations du soleil sur la verdure. Par ce corps de «gloire», j'étreins tous ces infinis qui n'atteignent que mon œil et mon ouïe. C'est pourquoi je suis toujours troublé par une femme belle. Je ne parviens pas à la dépouiller de cette beauté infiniment convoitée et admirée. Il y a de fortes chances que je demeure à jamais un «voyeur» en puissance. Rien ne fait autant vibrer que la magnifique dévêture. J'ai une certaine obsession de la courbe inaccessible, spirituelle à force de beauté. Après avoir sublimé durant tant d'années ma jeunesse et ma sexualité, il y a peu de chances que j'accède à une certaine sérénité.

Mon premier livre de poèmes, *Ces anges de sang*, a été publié un mois avant mon mariage. Il a été accepté rapidement par les éditions de l'Hexagone, grâce à la confiance spontanée que Gaston Miron a eue envers ma poésie. Je crois bien que ce recueil est une expression authentique de ces années de dualisme qui me rongèrent. J'étais dominé par une sorte de régime diurne de la représentation. En effet, non seulement j'ai une tendance naturelle aux antithèses conceptuelles, mais celles-ci sont prolongées en des antithèses imaginaires. C'est ainsi que les esprits qui sont aux antipodes de ma démarche sont portés à me qualifier de *cérébral*. Il y a dans ma façon de penser et d'imaginer une tension, un besoin de verticalité et d'abîme venant de ma nature de schizomorphe. Je n'ai pas choisi le régime diurne de mes représentations verbales. *Je vois ainsi*. En ce sens je suis un apollinien comme Mozart pouvait l'être dans sa musique, dans ses antithèses des modes majeur et mineur. Il est même possible que cette tension nette, intense, cristalline, ne puisse apparaître que chez les «éternels adolescents», qu'elle soit même une caractéristique fondamentale de cette famille d'esprits. Pour de tels êtres, la mort terrasse en pleine lumière. L'angoisse semble l'articulation nécessaire du passage de la mort au soleil, ou de la mer à la mort. Il est donc infantile et vain d'opposer l'un à l'autre ces régimes de représentation, et les poètes, les musiciens et les peintres qui s'en nourrissent. Les régimes d'images correspondent à notre nature la plus secrète. Quelle utilité y a-t-il de comparer Beethoven et Mozart, comme si Beethoven était l'*humain* même? Et Dieu sait comment je suis bouleversé par l'adagio de l'*Hammerklavier*, par exemple. L'apollinien ne sera-t-il pas toujours attiré par le dionysiaque, et vice-versa? Ne forment-ils pas cette face de Janus qu'est l'homme? C'est pourquoi j'ai sans doute été marqué si fortement, polarisé ambigument par les contraires qu'ont été pour moi Miller et Cendrars.

La dialectique entre ces deux représentations du monde n'est pas près de cesser. C'est par elle que l'esprit progresse. Cela ne signifie pas qu'il faille confondre cette dualité de la représentation avec le dualisme malsain, manichéen, qui écartèle la conscience morale. Ici je préfère parler de la dualité des forces qui m'assaillent. Il n'est pas question que je sois pris de panique, victime de puissances qui me sont extérieures. J'admets une direction, une volonté de métamorphose, mais je refuse de considérer mes échecs comme des catastrophes; je crois qu'ils m'enseignent. Je refuse d'être un pur esprit, de m'orienter vers le pur esprit en me servant de techniques d'illumination, par exemple. Je veux vivre avec une bienveillance envers mon corps, un respect de sa réalité et de ses énergies. Je refuse d'annihiler mon moi et de chercher le repos dans cette annihilation. J'accepte le déchirement de la conscience du moi, car il m'aide à percevoir les autres moi que sont les personnes. L'Oriental est parvenu si souvent à maîtriser son moi et ses mouvements, qu'il ne l'a pas reconnu chez les autres, qu'il a laissé se dégrader sa charité, son action contre les aspects monstrueux de la nature (maladie et faim) s'attaquant aux hommes. Il vaut mieux ne jamais connaître le repos du moi dominé, si ce repos s'obtient au détriment de ceux qui seront de plus en plus opprimés, méprisés et inexistants dans leur chair et dans leur unicité merveilleuse d'individu. Je respecte les grands mystiques de l'Orient; mais je n'arrive pas à comprendre ce qui chez eux peut envoûter à ce point un Occidental. Il y a là une sorte de passivité suicidaire et fataliste qui m'a toujours étonné. (On voit dans *Virage à 80* comment Henry Miller est nourri par cette philosophie.) Ce qui me frappe, au contraire, dans le message du Christ, c'est la nécessité d'accéder à Dieu par la voie de l'homme et des hommes. En Occident, les hommes sont des voies vers l'élévation. C'est pourquoi nous n'inventâmes peut-être jamais de techniques d'illumination, ou nous ne trouvâmes de voies comme le Zen ou le Yoga.

Nous devions cheminer vers l'Absolu en nourrissant l'homme, en guérissant son corps, en construisant sa demeure. Il n'y avait qu'une façon de nous diviniser, c'était de nous humaniser. Nous avions un Dieu qui pensait moins à Lui qu'à Nous. Le marxisme serait inconcevable sans cet a priori historique de la venue du Christ. C'est pourquoi rechercher le grand silence des mystiques orientaux, c'était pour moi, d'une certaine façon, ôter l'homme entre Dieu et l'homme, comme si l'homme était devenu une poutre dans l'œil du contemplatif. Je crois, malgré le paradoxe de ce que j'avance, que le marxiste qui s'attaque sincèrement aux problèmes de l'homme est encore plus près de Dieu que le croyant qui veut aller à Dieu sans passer par la voie des hommes concrets de notre milieu historique. Je crois que s'il y a une lumière qui ait un sens, dans toute l'histoire de l'humanité, c'est bien celle-là. Je ne comprends pas ceux qui quittent l'Occident pour se réfugier dans un ashram. Je ne dis pas qu'il n'est pas tentant de se retirer de l'histoire et du «monde», mais je ne comprends pas un Gandhi retournant au rouet, encore moins un Lanza del Vasto. Je ne dis pas qu'il ne faille pas chercher la voie de l'illumination, la communion avec le Tout, avec l'Un; je dis qu'il faut passer par les hommes. Il m'importe peu qu'il y ait moins de *silence* dans l'action pour l'homme, s'il y a plus de fraternité, de chaleur, de rayonnement; s'il y a moins d'affamés, de torturés, d'esclaves. Or tout est dans ce geste chaleureux, dans cette compassion, dans cette charité.

En 1955, ma pensée religieuse était si bien fondée sur la Communion des saints que j'étais internationaliste comme beaucoup de gens désincarnés. Puisque je n'avais pas de contact direct avec les hommes et que je me débattais avec mes fantasmes, dans «ma tour de soif», la société québécoise n'existait pas pour moi. Je n'avais pas d'identité. Je ne pouvais rien assumer. J'allais seul dans ses parages. J'étais totalement étranger aux graves interrogations qui commençaient à mettre en question notre communauté. D'ailleurs, la plupart du temps, les allusions au Québec nous frappaient au visage comme des gifles. Elles concernaient toujours notre paralysie, nos scandales médiocres, nos mythes poussiéreux. Je leur opposais naïvement la «loi» de l'histoire moderne qui devait nous pousser à l'internationalisme. Rien n'est plus facile que de parler de grands ensembles, quand on n'a pas de souche. Rien n'est plus prétentieux. Aujourd'hui, je suis convaincu que ce manque de conscience nationale ne pouvait que m'amoindrir et m'atrophier. C'était tomber dans le jeu des purs esprits, c'était arracher les dernières racines qui me permettaient d'être un homme situé dans toute sa plénitude. Il n'y a pas d'homme vivant qui n'ait été marqué, signé par sa communauté. Plus nos liens avec cette communauté sont faibles, plus nous risquons d'être exsangues, plus nous rêverons de grands ensembles n'exigeant pas de véritable incarnation. Sans une matrice réelle, nous risquons de n'avoir pas d'unicité. À l'incarnation nous substituerons les idéaux de l'universalisme, de la science, de la technologie et du fonctionnalisme — idéaux, bien entendu, qui ne sont pas forcément en contradiction avec un nationalisme sain, avec une conscience nationale. À trop embrasser l'humanité, nous perdons le contact avec l'homme.

1956-1957

Vivre! ah! je le veux aussi! déjà le vert revient! et c'est comme un appel.

HÖLDERLIN

Après avoir exprimé dans *Ces anges de sang* l'oppression du dualisme, mon livre se termine par le poème «Légende d'un monde vierge». Ce poème préfigurait l'éclatement. J'avais un infini besoin d'air et d'espace. Il était donc inévitable que la forme même de mes poèmes se métamorphosât. J'espérais que l'écriture devînt, selon l'expression de Jouve, une «catharsis de l'âme par le chant». Les premiers poèmes de *Séquences de l'aile* surgirent: «Pelure de ciel», «Dégel de l'homme». Les murs s'étaient effondrés. Je sentais le besoin d'une forte union avec l'univers. Né à Montréal, j'étais convaincu que l'instinct tellurique régressait en nous, et je commençais à parler du nouvel *instinct spatial*. C'était d'ailleurs une profonde préoccupation, en peinture, des Bissière, Manessier, Singier, Bertholle, Ubac, Soulages. Je ne connaissais aucun poète qui s'était aventuré dans cette voie, sauf peut-être Georg Trakl, le poète autrichien. N'avait-il pas écrit en 1914: «L'oreille suit longtemps le cheminement des étoiles dans la glace.» Pour moi, à ce moment-là, ce fut un mirage poétique imprégnant toute ma vision, et peut-être la tentation d'une autre forme d'angélisme. Plutôt qu'une volonté prométhéenne, c'était une spiritualisation extrême du corps perdant ses propriétés terrestres. En identifiant le corps à la lumière, je le pulvérisais. Ce fut probablement la dernière aventure de mon angélisme et, par l'absurde, la défaite en moi du dualisme. «Cinéma cosmique» est à cet égard très significatif. Mais je n'étais pas conscient de cette dernière manifestation acharnée de mon surmoi. Sans trop m'en rendre compte, j'étais en accord avec un mouvement de l'histoire. Plusieurs facteurs ont contribué à préciser ma démarche. J'avais lu *Vinobâ* et les *Commentaires de l'Évangile* de Lanza del Vasto. J'y découvris cette réflexion visionnaire:

> Il semble que la lumière soit en effet au commencement, puis la lumière devint feu, qui est une lumière inférieure, et puis le feu s'éteint et devient matière. Le monde entier n'est, selon l'expression de tel savant moderne, qu'une «maladie de la lumière», une dégradation de la lumière. Et puis un jour tout ce qui existe repassera par le feu et rentrera dans la lumière, tout comme l'enseignent depuis le commencement les textes sacrés. Mais il n'est pas seulement dit que la vie était la lumière, il est précisé qu'elle était la lumière des hommes, pour indiquer que cette lumière divine et d'abîme n'est pas celle dont les savants mesurent la vitesse [...] mais il s'agit de l'illumination intérieure.

En paraphrasant en quelque sorte Lanza del Vasto, j'écrivis: «Mozart est si grand qu'il donne l'impression de transformer l'onde sonore en onde lumineuse. Il est le chantre de la lumière, comme François d'Assise est le chantre de l'Amour qui est la vraie Lumière divine, la vraie vie de Dieu. Si Beethoven fait passer par le feu la matière en onde sonore, Mozart la fait passer par la lumière, suprême perfection de la matière, et celle-ci, à la limite, touche l'esprit.» Comme on le voit, la véritable lumière était pour moi indissociable de l'amour évangélique et simple. Ce n'était pas une lumière réservée à une caste d'initiés, la lumière glorieuse d'un savoir transmis par la Tradition, c'était une lumière toute simple surgissant du *Cantique du soleil*.

Teilhard de Chardin a également contribué à mon évolution.

> Le mal de l'espace-temps se manifeste par une impression d'écrasement et d'inutilité, en face des énormités cosmiques.

C'était le mot célèbre de Pascal sous une autre forme. Bien entendu, il n'y avait pas qu'une réaction du surmoi dans mes poèmes d'alors. Comme tout homme, j'étais angoissé par la difficulté de vivre dans ce nouvel espace où le temps n'avait plus cette quiétude des cycles qui nous apaisaient. Nous étions, à la suite d'Hiroshima, revenus très près de cet homme primitif qui était effrayé par les secousses du volcan ou qui n'avait pas la certitude que le soleil se lèverait de nouveau. À cet homme angoissé, chancelant que j'étais au milieu de l'univers, quelle vision proposer? Je me créais ma propre mythologie à l'instar de l'homme archaïque. Je cherchais de nouveaux symboles qui ouvriraient de nouvelles relations. Debout dans les pas des Mayas invoquant le dieu du Vert, je proférais des cantiques afin de conjurer la menace.

En avril 1957, je reçus le choc de l'œuvre de Varèse. C'est Henry Miller qui, grâce aux pages passionnées de son *Cauchemar climatisé*, me donna le besoin d'aller à Varèse. Ayant reçu de Miller l'adresse du compositeur, j'écrivis à celui-ci afin qu'il m'envoie son premier microsillon. Ce qu'il fit aussitôt. Pour la première fois j'écoutais une musique qui se déplaçait littéralement dans l'espace. Depuis 1926, on parlait de «musique spatiale» à propos des œuvres de Varèse. C'était une grande ouverture sur le son. Après l'audition d'*Ionisation*, j'écrivis «Quatuor climatisé», poème en quatre parties, que je dédiai à Varèse. Mais j'y reviendrai.

En septembre 1957, je lus une étude consacrée au peintre Lucio Fontana où il affirmait qu'il cherchait un «art qui serait inspiré par l'unité du temps et de l'espace». Il avait d'ailleurs intitulé le tableau reproduit dans l'article: *Concept spatial*.

Enfin, le 4 octobre 1957, les Russes lançaient leur premier satellite. Cet événement incroyable, accueilli avec quelle exaltation, confirmait pour moi d'une façon éclatante ma propre recherche poétique. J'écrivis: «Le rêve des grands enfants se concrétise. C'est une sorte d'affranchissement de la matière, laquelle, jusqu'ici, était aliénée par une pression implacable. C'est surtout un dépassement de l'homme qui affirme son pouvoir sur les forces cosmiques.» C'était fort naïf et enthousiaste. À vrai dire, qui alors n'avait été soulevé par cet événement?

Ce sont ces diverses influences qui entraînèrent ma poésie dans une quête de l'espace. Le plus souvent, c'était une expérience n'ayant aucun rapport avec ces faits ou ces notions qui m'inspirait, me donnait ma première image, que j'appelle l'image-mère engendrant tout le poème. Par exemple, «Cinéma cosmique»: j'avais vu un serin dans sa cage ouvrir largement ses ailes et tomber sur le sable blanc. Il demeura «inconscient» durant trois heures, les ailes étendues. J'en fus bouleversé. J'écrivis aussitôt cette strophe:

> Cinéma cosmique où glisse et tournoie
> comme une toupie d'aigles le fragment fier de mon ciel.

J'étais devenu cet oiseau. Ce chant devenait le signe annonciateur de l'écroulement de mon propre surmoi, de son démembrement. Car le poète précédait l'homme conscient. Par une métaphore plus osée j'identifiais même le cosmos à l'oiseau. Tout l'univers s'effondrait. Ce sont ces poèmes précurseurs qui m'exprimaient le mieux. «Doigts fusées» se terminait par les vers suivants:

> Dense d'attente, ceinturé de soleils
> son ventre s'éveille au récit du monde.

Quinze mois plus tard, nous donnions naissance à notre premier enfant. Que de vers, dans ce livre, annoncent des événements futurs!

Au mois d'août 1956, j'entreprends pour Radio-Canada une étude plus serrée de Léon Bloy. (La plupart des études d'écrivains que je ferai seront commandées par Jean-Guy Pilon pour Radio-Canada.) Bien entendu, ma vision de Bloy fut atteinte par l'ouvrage de Raymond Barbeau, *Léon Bloy, prophète luciférien*. D'autant plus que j'avais eu l'occasion d'avoir des conversations avec l'auteur. Or celui-ci croyait déceler le fameux secret de Bloy dans le texte suivant du *Salut par les Juifs*: «Il est tellement l'Ennemi, tellement l'identique de ce Lucifer qui fut nommé: Prince des ténèbres, qu'il est à peu près impossible — fût-ce dans l'extase béatifique — de les séparer.» Bloy ajoute qu'il ne s'agit pas là d'une assimilation métaphorique, ni d'une affirmation dogmatique absolue, mais bien d'un *mystère*. En fait, il semble que Bloy ait confondu l'Esprit saint et Lucifer, du moins c'est ce que prétendait l'auteur du *Prophète luciférien*. Ne s'agissait-il pas là d'une clé de la tradition gnostique? Qu'on se souvienne du tableau de Memling (au musée de Washington) représentant le serpent sortant du calice. En fait, Bloy, comme tous les initiés, les gnostiques, croyait au Troisième Règne, le règne de l'Esprit saint, lequel, selon les ésotéristes, devait commencer avec l'ère du Verseau. On sait que Bloy, comme Huysmans ou Villiers de l'Isle-Adam, était au courant de toute la symbolique traditionnelle de la gnose. Quant à moi, j'avais été frappé par le style, par les analogies qu'il y avait entre un Eliphas Levi, un Bloy et un Milosz. Mais Barbeau ne m'avait pas convaincu. Je pensais que Bloy en était arrivé à cette identification par sa vision de poète et que le chrétien Bloy restait en deçà de cette affirmation. C'est dans cet état d'esprit que j'écrivis la conclusion de mon étude. Après avoir cité la parabole du Jugement extraite du *Salut par les Juifs*, je remarquai: «Cette bouleversante parabole de Bloy est peut-être le tableau le plus luciférien du XIXe siècle, siècle pourtant luciférien s'il en fut. Elle dépasse *Les Chants de Maldoror*, elle dépasse par son drame l'acte extrême de Rimbaud: c'est l'oracle d'un damné qui, dans l'imagination de Bloy, déséquilibra la Trinité même. Bloy a conçu le damné inconcevable, et cet être possède de commun avec l'Esprit saint une sorte d'identité (mystérieuse) symbolique. Le Christ s'est incarné dans l'homme [...]. Et Bloy terrassé par le mystère se représente l'Esprit, ou l'Amour, chassé de la Trinité, déchu lui-même pour sauver Satan. C'est par cette vision indescriptible et accablante qu'il termine son *Salut par les Juifs*. Comme les Juifs, Bloy fut dans l'impatience d'une conquête glorieuse du monde par Dieu. Et comme les Juifs, il n'a senti que cette absence inexplicable.» D'ailleurs Bloy n'avait-il pas dit à un ami qu'il avait rêvé de Dieu «ce qu'il avait voulu»? Par la suite, je rédigeai l'une de mes dernières notes sur Bloy: «Rimbaud conserve toujours des débris de culpabilité. Et s'il se dresse luciférien en face de Dieu, il n'imagine pas un Dieu déchu; il n'ose pas suggérer une telle similitude avec le serpent. Lautréamont, lui, pousse sa logique du mal jusqu'à cette dégradation inconcevable. *Maldoror*, c'est la création d'une cosmologie où le mal est maître, où le mal est la loi. La déchéance de Dieu est le point extrême de cette courbe [...]. Bloy ne se situe pas sur le plan poétique, mais plutôt sur un plan exégétique.» Dès cet instant, je quittai Bloy de façon définitive. Je m'éloignerai toujours de ce qui tend à confondre Lucifer et l'Esprit saint ou le Verbe. Ce fut ma première et plus profonde rupture spirituelle. La pensée de Bloy, par sa puissance d'expression, son exigence d'absolu, était devenue pour moi, sans que je m'en rendisse compte, une forme de terrorisme spirituel. Le pèlerin de l'Absolu m'avait entraîné sur un chemin qui me déshumanisait, qui ne pouvait que consolider la tyrannie de mon surmoi. Alors qu'il m'aurait fallu de la simplicité et de la compréhension, je m'accrochais à la logique (illogique) du pèlerin. Je ne pouvais tout de même pas, par tempérament, par tendance, toujours m'identifier au Christ chassant les vendeurs du temple; or c'était, en fait, ce que faisait Bloy. Quand il ne brandissait pas le fouet, il fondait en larmes. On n'arrivait plus à se sortir des griffes du mendiant ingrat. Malgré le mal qu'il m'a fait, le Vieux de la montagne m'a aussi beaucoup donné. Mais un jour il faut tourner le dos à ses maîtres. C'était accompli. Je m'étais dégagé. Et déjà je respirais mieux.

Après la rédaction d'essais sur Léon Bloy et T. S. Eliot, je commençai une lecture de Maïakovski, Tagore et Neruda.

Avec Neruda je m'arrêtais vraiment pour la première fois à réfléchir au poème politique. C'était mettre en question tout le problème de l'engagement, et celui du poème au service d'une cause historique, politique et sociale. Je notai alors: «Le poème politique, engagé, n'a aucune immunité vis-à-vis de l'esprit. Il est impossible de ne pas prendre position. C'est une poésie qui s'attaque à des faits, à des personnes qui sont des éléments historiques. Selon que notre œil s'enracine dans l'acte divin de la création, qu'il s'élargisse dans le sens de la Parousie», ou qu'il s'aventure dans un mouvement dialectique vers le paradis prolétaire, «le *Chant général* nous blessera ou nous emballera. Mais la riposte la plus ferme au poème engagé demeure un autre poème qui lui fait face, le neutralise ou le désintègre.» En fait, c'était une grave erreur que de situer le problème sur ce plan. Il ne s'agissait pas d'opposer deux croyances, mais bien de savoir si le poème devait se mettre ou non au service d'une action, d'une idéologie. Il se produisait ceci que les plus mauvais poèmes de Neruda étaient également les plus engagés. Dès que la contrainte disparaissait, dès qu'il se remettait au chant de l'homme, de l'humain entier, sa poésie était réussie. Maïakovski avait vécu l'événement de la Révolution, moment d'intensité et d'exaltation évident pour celui qui l'espérait, alors que Neruda ne pouvait que s'attaquer à des forces capitalistes. L'«histoire» lui imposait un rôle de destructeur. Or la poésie ne peut se soumettre à aucune cause, ne peut rien *servir*. Elle n'a pas de finalité hors d'elle-même. Elle témoigne d'une insatisfaction irréductible, d'une tragédie de l'homme antérieure à toute idéologie, liée à l'essence de la condition humaine. La poésie est essentiellement un langage du désir, de l'inexprimable, un langage des multiples réseaux de relations entre tous les êtres des mondes divers. L'attaque, la destruction impliquent une connaissance des faits, de la mécanique des événements, incompatible avec la nature même du poème. La poésie est un acte qui permet une certaine connaissance, mais elle n'est pas plus la connaissance qu'elle n'est l'action.

Ma lecture de Neruda avait été d'autant plus attentive que j'avais été fort remué par la révolte des Hongrois. Nul événement n'avait eu autant d'impact depuis la guerre de Corée. J'ai compris, ce jour-là, qu'aucune idéologie ne tient devant les faits et les mécanismes politiques. Les grandes puissances étaient prisonnières de leur propre politique. Sur le vaste échiquier du monde, les petits peuples n'étaient certainement pas des valeurs intouchables. On les sacrifierait comme on sacrifiait les hommes. Une quinzaine d'années plus tard, on sait comment les grandes puissances abandonnèrent la Tchécoslovaquie, le Biafra, le Bangladesh. Et je ne parle pas des massacres d'Indiens en Amérique du Sud.

Il y eut, à cette époque, la grève pénible de Murdochville. Par elle, plus que dans les livres, j'ai compris à quel point la socialisation de certains moyens de production était une nécessité face au capitalisme sous Duplessis. Nous devions nous battre contre notre propre gouvernement, et contre un capitalisme qui niait notre spécificité culturelle. Nous étions doublement aliénés. Quelle tragédie de travailler à l'édification d'une culture quand on s'aperçoit qu'elle est en déchéance, qu'elle s'effrite, qu'elle est bafouée en particulier par ceux qui gouvernent! Notre espoir est bien ténu. Les cultures, comme les hommes, ne relèvent le défi que lorsque l'espérance est assez puissante pour les entraîner à agir. Je me demande s'il n'y avait pas autant de désespoir dans nos actes que de ferveur. L'angoisse était notre lot. Étions-nous des forçats d'une culture en voie de disparition? Pouvions-nous créer des œuvres en doutant de notre âme? de l'avenir de notre nation? N'étions-nous pas exposés au cancer du silence? Si l'écrivain n'est pas foudroyé par quelque soleil, il se tait, et avec lui l'âme collective entre en agonie. Cette désespérance point dans les regards et dans les paroles. Ce pays pourrait mourir à chercher son âme. Ce mouvement semble interminable. Qui attend, ici, des paroles de son âme? On s'engloutit dans l'agitation. Si vous cherchez le véritable écrivain québécois, vous le trouverez en découvrant le désespoir dans son regard. N'écrit-il pas le plus souvent avec la mort au cœur? N'est-il pas engagé dans un duel obscur contre votre mort et la sienne? Mais qui a besoin d'âme? L'écrivain parie qu'il y a quelqu'un aujourd'hui ou demain qui cherchera son âme. Il veut être là lorsque les esprits se redresseront. Il veut empêcher la vie de saigner dans le néant.

Par un matin clair de juillet 1957, alors qu'en voiture je m'en allais en vacances, la mort me frôla. Tout cela se passa si vite que, fort secoué, j'ai vécu les jours suivants dans un état d'extase. Les fourmis, les brins d'herbe, les arbres, les grives, le vent, l'air: qu'il faisait bon voir, respirer, écouter, être en adoration! Et depuis, je n'ai pas trouvé de plus haute manifestation de la vie que la contemplation amoureuse. Je n'ai pas trouvé d'homme plus en *situation* que celui qui est en état d'accomplissement et d'épiphanie. Il irradie.

Quand je vois un tableau de Chagall, je pense à cette irradiation. Chagall s'aventure et découvre. Il ne sait rien a priori. Il fait confiance au mystère. Je comprends que Chagall m'ait affirmé que nous ne devons pas *savoir dessiner*: seul Dieu peut dessiner, disait-il. Je comprends qu'il ait été subjugué si profondément par Mozart. Je suis encore tout ému des paroles qu'il nous a dites ce matin du 17 mai 1973, à Saint-Paul-de-Vence: «En écoutant Mozart, je pleure, en lisant Dostoïevski, je ris.» Pour lui Mozart est le chant impossible de l'ange, et nous ne pouvons que pleurer quand cette lumière nous frappe. Tandis que Dostoïevski, étant l'humain même, est *nous*. Comme Mozart, Chagall a un besoin innocent, irrépressible d'être aimé. Je ne pus m'empêcher de le lui faire remarquer. Ce qui me valut une longue caresse sur la nuque. Il scella cette affection en dessinant dans mon album *Message biblique* un cœur où poussent des fleurs, avec «Fernand Ouellette» bien au centre, et un autoportrait offrant des fleurs, dans mon album *Vitraux de Chagall*, de Robert Marteau.

Après Neruda, je passai à l'étude de Saint-Exupéry. Pour lui il importait peu que l'homme fût faible, comme le disait Pascal, l'important était qu'il surmontât sa faiblesse. Son Rivière du *Vol de nuit* est de la trempe du Caïd de *Citadelle*. C'est en quelque sorte le double renversé du Petit Prince. Étouffant la pitié, l'homme devient un projectile propulsé par sa volonté de puissance. Cet homme n'a de liberté que dans la poursuite de sa trajectoire. Cette adhésion à la contrainte donnera un sens à sa vie et à sa mort. La soumission volontaire contribuera à l'ordre de la communauté. La liberté ainsi acceptée devient l'assise de la justice. Il m'importe peu, aujourd'hui, que cette image corresponde ou non à

Saint-Exupéry. Nous sommes entrés dans l'ère des logiciens. Les technocrates se lient à la logique des machines. Ils sont conditionnés par l'ordinateur. Ne refusent-ils pas déjà la parole symbolique pour n'accepter que le *code*? Ils chasseront le mystère. On devra se soumettre au *nombre* et aux décisions des experts du *nombre*. Que feront les Petit Prince dans cet univers du nombre et de la logique? Qui fera le long apprentissage de l'apprivoisement? Qui dessinera des cages, des réverbères? Qui se sentira responsable, quand l'action sera fondée sur l'information de l'ordinateur? Il y a une dimension de la guerre du Viêt-nam qui nous échappait totalement. Les ordinateurs étaient entrés en guerre contre le Viêt-nam. Quel homme sera en assomption dans chaque individu? C'est pourquoi, à Rivière, je persiste à opposer le Petit Prince. Rivière est fils de Nietzsche. Le Petit Prince c'est l'homme en état de spontanéité et d'émergence. Ne sommes-nous pas tous des Petit Prince mutilés par la logique des Rivière? Certes Rivière ne manque pas de bonnes raisons, d'astuces. Quoi répliquer? Dessiner des moutons face à Rivière? Et pourtant c'est ça le miracle du Petit Prince, c'est sa seule réponse.

À la fin 1957, je me tournai vers l'œuvre de Blaise Cendrars. C'était mon antipode. J'étais l'être inhibé, sédentaire, se laissant envahir par la lave de cet homme, par la santé, mais aussi par certain désespoir sourd. C'est parce qu'il y avait du désespoir à la racine de Cendrars que les explosions de ses livres nous projetaient la vie au visage avec une telle virulence. Cet homme voulait atteindre tout ce qui était unique dans l'univers: il voulait assimiler la vastitude de la terre dans ses milliards de manifestations singulières. Il ne se consolait certes pas de n'être pas Dieu, mais parce qu'il était dieu il continuait la lutte. Plus tard, il dira: «Écrire est une vue de l'esprit. C'est un travail ingrat qui mène à la solitude. On apprend cela à ses dépens et aujourd'hui je le remarque. Aujourd'hui je n'ai que faire d'un paysage, j'en ai trop vu. «Le monde est ma représentation.» L'humanité vit dans la fiction... On n'écrit que *soi*. C'est peut-être immoral. Je vis penché sur moi-même. Je suis l'autre.»

Par la suite j'ai publié mon étude sur Cendrars dans *Liberté*. Cendrars aima mon texte et m'envoya une carte postale écrite de sa main gauche. Il exigea même que l'ORTF utilisât ce texte pour une émission qui devait lui rendre hommage, peu de temps avant sa mort.

Ces écrivains me stimulaient. Maintes fois je fus poussé à écrire un poème lorsque j'étais atteint par leur éclat et leur puissance. Mais ces moments d'exaltation étaient «payés» par des affaissements dans la nuit. «Aucun être ne me répond. Les mots m'ont abandonné.» J'avais souvent l'impression, en terminant un poème, que c'était le dernier, que jamais plus je n'écrirais. Bien que je fusse toujours un peu obsédé par l'idée de sainteté, l'acte poétique, ses exigences me semblaient incompatibles avec la sainteté. Cet acte m'apparaissait comme un acte total en lui-même, comme un engagement entier, inconciliable avec la tension et la recherche de la sainteté. L'acte poétique devenait une forme même de la recherche de la sainteté. J'abolissais le dualisme. Alors j'assumai entièrement cette pensée de Pierre Jean Jouve: «Je n'aurais jamais écrit une ligne si je n'avais cru au rôle sanctificateur de l'Art.» C'était la seule réponse possible au tourment d'un Tolstoï qui en vint à désespérer de l'art et à confondre sa fin naturelle avec les exigences de la morale et de la religion. En effet, si l'on opposait ces deux recherches comme étant incompatibles, sans osmose possible, nul chrétien ne pouvait chercher la «Beauté» de Dieu. Ce qui était tout à fait absurde.

Plus j'avançais, plus ma structure affective était menacée, s'effritait. Par ma femme je m'incarnais de plus en plus. (C'est Joseph Delteil qui, dans son *François d'Assise*, a dit: «Tout homme qui une fois a «connu» la femme en garde à jamais dans les moelles l'illumination et le soupir indélébilement.») Oui j'étais atteint d'une grave blessure. Non seulement ma faim ne s'apaisait pas, mais d'acte en acte, comme un feu de forêt, l'incendie se propageait. Ce n'est qu'après avoir été réduit à la cendre que je pourrais renaître tel Phénix. Ma sexualité devait parcourir tout le chemin, tous les stades depuis ma naissance, afin de vraiment me désinhiber. Comme Henry Miller l'avait si bien compris, il me fallait retourner dans l'utérus et renaître, sans quoi je serais un homme à jamais brisé par mes vingt-cinq ans d'angélisme. Je faisais, par exemple, le chemin inverse d'un Tolstoï. Après avoir été effrayé par mon corps, après avoir marché sur la corde raide, je découvrais toute l'humanité de la chair, toute l'humanité charnelle de l'homme; tandis que le vieux Russe, après avoir connu la chair, en était venu à la haïr, à chercher le chemin de l'ange. De même Albert Cohen, lors d'une rencontre à Genève, me laissera l'impression d'avoir été si accablé par la chair, qu'il ne pouvait dorénavant que la détester.

Mes poèmes d'alors sont pénétrés de sexualité, émerveillée certes, mais non sereine. Qu'importe, la bonne corrosion de l'œuvre de Miller commençait à agir! Tout cela ne se faisait pas sans douleur. La parole est lente à naître. Ne faut-il pas se buter sans cesse au mirage des mots? J'ai alors écrit dans mon *Journal*: «Le masque de l'innocence est détruit. Je suis beaucoup plus seul avec ma vie et ma chair[...]. Je possédais l'innocence facile de l'enfant isolé au désert[...]. Je n'ai perdu qu'une apparence. C'est aujourd'hui que je suis aux prises avec la nuit. C'est aujourd'hui que la vie a sa plénitude.» Et l'une des caractéristiques de cette vie totale, telle qu'elle m'est apparue en deçà de l'innocence, fut l'universalité de la violence. J'aurais pu hurler avec Novalis: «Et la violence de ce qui est terrestre n'aura-t-elle pas de fin?» En quittant l'innocence, j'entrais dans le terrestre tel qu'il est, tel qu'il agit, lorsqu'il est laissé seul à lui-même, lorsqu'il recule indéfiniment pour perpétuer la rupture avec le sacré.

Dès ma première lecture de Saint-Denys Garneau, j'avais réagi contre lui. C'était un poison dont je ne voulais guère. Je crois que mon refus instinctif de ce poète était le signe d'une évolution significative. Tout confirma par la suite sa concrétion et son irréversibilité. Tout, s'il le fallait, plutôt que l'échec de Saint-Denys Garneau. Il valait mieux plonger aux enfers. Il valait mieux que la femme m'amputât de mes ailes. Il valait mieux tout remettre en question. Tout, excepté cette incapacité de vivre. À cette époque, l'expérience cosmique, l'expérience amoureuse d'Alain Grandbois me polarisaient fortement. Le verbe de Grandbois n'avait-il pas un souffle annonçant notre libération? Même s'il reflétait une solitude indéniable, il n'en était pas moins un appel à la vie. Par sa présence au monde, Grandbois ouvrait l'espace à la diversité des poètes qui se manifesteront surtout dans les années cinquante: Gaston Miron, Roland Giguère, Paul-Marie Lapointe, Jean-Guy Pilon, Luc Perrier et Gatien Lapointe.

Je me rends compte, maintenant, que dès cette année 1957 je commençais à trouver très inconfortable ma situation de croyant nanti de belles certitudes. Je commençais à me sentir paralysé par mon adhésion à des vérités qui étaient ancrées en moi depuis l'enfance. De plus en plus ces valeurs s'identifieraient avec les valeurs d'une société en agonie. Elles m'apparaîtraient comme des masques d'un pourrissement profond. En effet, dans cette chrétienté, où étaient les chrétiens? Il y avait bien tant de chrétiens au *mille* carré comme dans toute bonne chrétienté qui se respecte; mais si le Christ était venu parmi nous, il aurait été bafoué et lynché. La religion n'était-elle pas devenue la haute compensation de notre peuple face à son infériorité culturelle et économique? Comment ne pas penser à ces vers de Sophocle que Simone Weil a mis en épigraphe de son livre *Oppression et Liberté:*

> Je n'ai que mépris pour le mortel
> Qui se réchauffe avec des espérances creuses.

Est-ce que je n'appartenais pas à un peuple qui tout entier se gavait «d'espérances creuses»? On lui avait parlé de son messianisme en Amérique protestante, quand il crevait de faim et d'ignorance. Quelle duperie! Quel mal on a fait à ce peuple en le détournant de la seule voie possible qui était une accession à la maturité, condition d'une autodétermination naturelle! J'en suis venu peu à peu à détester les chrétientés et leur forteresse et leur suffisance. Je me sentais, dans cette adhésion aux vérités révélées, en état de contrainte spirituelle. Il me semblait que l'aventure de l'esprit m'était interdite, puisque nous avions déjà la Vérité et toutes les vérités à portée de cerveau, ou du moins de mémoire. On n'exigeait pas de nous un effort de lucidité, un affrontement avec les risques inhérents à toute foi: on demandait la soumission de notre volonté. *Ils* étaient nos consciences. Je vivais dans une société où le risque était supprimé. Maternellement *ils* nous enlevaient les obstacles et les pièges. Si bien que nous sommes devenus des cerveaux sans consistance, sans structure solide, à force de ne pas choisir, de ne pas oser l'aventure. Nos volontés s'affaissaient avec vertige sous le premier risque. Nous n'étions pas des hommes. Un homme véritable, celui que je rencontrais en Cendrars, par exemple, ça ne pouvait certainement pas être cette loque spirituelle, cette caricature de bête soumise sous le carcan. Une profonde aberration nous avait tous frappés. Nous étions tous atteints de la peste de la survivance. (Si l'on écoutait les nouveaux prophètes de la nouvelle église marxiste, il s'en faudrait de peu que ne resurgisse ici une nouvelle «chrétienté» matérialiste. La nouvelle église, en Russie et ailleurs, a réussi à décapiter tout ce qui tendait à la parole. La parole officielle, l'idéologie souveraine d'une société qui a aboli les classes, l'aliénation, l'exploitation de l'homme par l'homme, ne suffiraient pas à l'intelligence moyenne de tout bon citoyen? La «Vérité» fonctionne à merveille. La production est presque digne d'être qualifiée de capitaliste. La foi est grande...)

Plus j'avais la velléité de rompre mes chaînes, plus la culpabilité me poursuivait. Je venais, en fait, de beaucoup plus loin que la plupart des Canadiens français! je venais de mon rêve d'enfance où la sainteté était la chose la plus sublime que devait chercher l'homme. Je ne manquais pas d'archétypes. Cet enfant que je fus était presque devenu mon propre archétype. J'allais tourmenté, hésitant de plus en plus à l'assassiner. Cet enfant plein de rêves surhumains était mon *surmoi* démasqué. Je ne me décidais pas à la rupture. Je ne me décidais pas à devenir adulte. Comment aurais-je pu devenir adulte, si je n'avais été adolescent? C'est en portant le faix de mon adolescence, c'est en découvrant la femme, son corps et le mien, que je pourrais retourner à l'enfant non pas pour le détruire, mais pour lui donner la main afin qu'il continue à m'accompagner dans l'adulte que j'accueillais. Cet enfant était une force, non quand il me terrorisait, mais lorsqu'il me permettait d'être spontané, quand il me précédait sur la voie en semant des rêves. Je ne devais pas m'endormir après le premier risque ou la première défaite. Cet enfant m'avait fait mal, mais il n'était pas un imposteur.

Nos prêtres non plus n'avaient pas été des imposteurs. Comme l'a dit Bernanos: «Pour mériter le nom d'imposteur, il faudrait qu'on fût totalement responsable de son mensonge, il faudrait qu'on l'eût engendré.» Or, ici, je ne vois que des faiblesses s'additionnant aux faiblesses. S'il y eut des trahisons, des agents de décomposition, de démembrement, c'est dans le haut clergé et dans l'élite. Il s'était produit, depuis la débâcle de 1760, une réaction en chaîne de responsabilités. Tous étaient responsables, mais étions-nous tous coupables? Je ne vois qu'une accumulation de peurs finissant par devenir démesurées, désaxant le jugement, paralysant la vie elle-même. Nous étions les produits d'une humiliation avilissante qui avait engendré, dans la crainte, un effort d'adaptation et finalement une certaine fixation dans des attitudes et dans des gestes nous ayant sauvés. Nous ne survivions plus que dans notre propre mythologie. Nous étions des êtres mythologiques qui se rêvaient hors des courants de l'histoire. Et pendant ce temps nous devenions de pauvres bougres offerts à la manipulation. C'est pourquoi le réveil a été si brutal. Ne ressemble-t-il pas à une immense clameur? Nous n'aurons plus de repos tant que la blessure de 1760 n'aura pas été guérie par la vie ou aggravée par la mort. Nous ne pouvons sans cesse rouvrir cette plaie et la regarder fixement en nous engourdissant pour retomber dans la somnolence. Notre âme est à nu. Nous sommes tous des «enfants humiliés». Il faut que nous guérissions, que nous acceptions de vivre en ayant beaucoup pitié de nous. Nous relevons d'une maladie ancienne. Il ne s'agit pas tant de dénoncer les coupables, que de se redresser et d'agir. Les imbéciles, les fanatiques, les ignorants, les suffisants, les nouveaux idéalistes sont les enfants de notre humiliation, notre déchéance. Mais ne sommes-nous pas des fils de pionniers? Ceux-ci n'avaient-ils pas pris des risques énormes dans un milieu sans cesse menaçant? *Québec*, étymologiquement, ne signifie-t-il pas: «passage difficile». Ainsi je me mettais en question, pendant que mon peuple se mettait lui-même en question.

1958-1960

Le 15 janvier 1958 naît Sylvie, mon premier enfant. Durant trente heures nous avons attendu sa naissance à l'hôpital. Cette attente se transformera en cauchemar, tant l'anxiété m'étreignait. Je n'avais pas oublié l'avertissement du cardiologue: un seul enfant peut être fatal. Au deuxième, le 28 septembre 1960, nous dûmes prendre la voiture de police pour traverser la ville. Le travail de passage s'était précipité, nous avait surpris. Le temps de signer les papiers d'admission à Notre-Dame: Andrée était née. Enfin, au troisième, même si nous étions arrivés à l'hôpital dix heures auparavant, l'enfant faillit naître hors de la salle d'obstétrique, sans médecin, à cause d'une négligence de l'infirmière de garde. Jean, ainsi nommé en affection pour le disciple de l'Amour, naquit le 21 mai 1962. À chaque accouchement, j'aurais dû m'étendre, comme le veut la tradition dans certaines tribus, afin de coaccoucher, tant mon être accouchait d'espérance jusqu'à l'épuisement. Ne s'agit-il pas d'un long travail d'espérance? J'étais en travail d'espérance depuis les profondeurs de la nuit.

Peu de temps après la naissance de mon premier enfant, soit le 2 février 1958, j'assistai à la réunion de fondation de la revue *Liberté* qu'avait convoquée Jean-Guy Pilon. Le premier numéro paraîtra un an plus tard. Ce fut un tournant décisif dans ma vie. L'équipe de *Liberté* devint pour moi un groupe nécessaire de camarades et d'amis. Sans eux, sans leurs stimulations, je ne serais pas l'homme que je suis. Timide, saturnien, explosant en interrogations parce que je m'étais tu trop longtemps, j'avais peu d'amis. Je mettais parfois en fuite ceux pour qui j'avais le plus d'affection spontanée. Sans trop m'en rendre compte, je devais être le raseur même. J'étais si solitaire, si avide d'amitié, d'échanges que, dès que je rencontrais quelqu'un, je l'accaparais un peu trop. Je prenais tout trop au tragique. J'écrasais sans doute mon interlocuteur. Peut-être respirait-il difficilement à mon contact? J'étais l'introverti qui ouvrait les écluses.

En apprenant la mort de Georges Rouault, je notai qu'il était pour moi la conscience picturale du Corps mystique. Les juges, les clowns, les filles, les dames, les capitalistes, la Passion, la Résurrection: il avait peint, il s'était posé les questions essentielles. Nul n'avait été plus tragique depuis Goya, ni plus mystique depuis le Greco. Il me semble le peintre de la condition humaine dans sa misère profonde. Il me reste de lui ce visage de clown que personne ne peut oublier, ce visage d'où émerge si doucement, si muettement, toute la compassion, la pitié grave de l'homme pour l'homme: *Qui ne se grime pas?* Avec les années, sous l'influence du poète Robert Marteau, j'apprendrai à mieux aimer la lumière, la couleur, à admirer les *Nymphéas* de Monet. Je serai plus détendu. J'irai au musée Marmottan comme en un lieu de fête et de contemplation. Je rencontrerai des peintres. J'écrirai des poèmes à partir de tableaux.

Le Milieu divin de Teilhard de Chardin venait de paraître. Avec cet homme, je m'enracinerai davantage, je me déprendrai pour l'envol possible.

> Il n'y a pas en nous un corps qui se nourrit indépendamment de l'âme. Tout ce que le corps a admis et commencé à transformer, il faut que l'âme le sublime à son tour.

Ce qui me frappait chez Teilhard de Chardin, c'était l'insistance avec laquelle il mettait en relief l'unicité des êtres. Et avec quelle envergure d'esprit, de vision et de style, il intégrait l'unique dans la diversité, dans l'unité du tout! Cela rejoignait ma conviction la plus profonde. C'est notre unicité qui nous informe et nous permet d'accéder à l'Être. La vie n'a pas d'autre sens que l'assomption de cet être unique dans un réseau de liens et d'interdépendance. Parce que Dieu pénétrait tout l'univers, nous étions en «milieu divin», le lieu de l'Être, le lieu des êtres, imprégné essentiellement de sacré. En lui, par lui, nous sommes aimantés et en voie d'accomplissement. Ce «milieu divin» qui se déploie est un vaste organisme où tout vit et croît dans la diversité des fonctions. J'accepte la Résurrection et la Parousie. Je ne peux pas tolérer que la violence et l'infini de la souffrance, qui détruisent les êtres, n'aient aucun sens.

Morts de Varsovie
            Buchenwald
            Oradour
            Hiroshima
sortez du soleil!

> Revenez pour les ruisseaux,
> pour les roses et rossignols.

Mes vers n'ont pas d'autre signification. C'était une anticipation de la Parousie. Sans cette foi, mon cri ne serait qu'un terrible blasphème envers ces morts si morts, si lentement morts, si affreusement morts. Il me faudrait redire sans cesse les dures paroles d'Élie Wiesel:

> Seulement pour vous, les Juifs, que les Allemands, approuvés par l'indifférence mondiale, ont massacrés, ne sont pas des amis; ils ne l'ont jamais été. Seulement pour vous, les Juifs de cendres ne sont pas des amis; ils ne l'ont jamais été; c'est parce qu'ils n'avaient pas d'amis qu'ils sont morts. Alors, apprenez à vous taire.

Après *Le Milieu divin,* je passai à *L'Avenir de l'homme.*

> Tout l'avenir de la Terre, comme de la Religion, me paraît suspendu à l'éveil de notre foi en l'avenir.

Par cette parole en épigraphe, Teilhard de Chardin proposait une prospective qui ne se fondait sur aucun ordinateur, sur aucun scénario, sur aucune statistique. Les hypothèses sont le propre des scientifiques. Teilhard de Chardin, quoique scientifique, déduisait moins qu'il ne voyait avec une forte surconscience. Nous étions, à certains égards, plus près de Sri Aurobindo qui avait écrit *L'Évolution future de l'humanité.* Le passage de la Nature à la Supranature ou l'ascension vers le supramental est assez analogue au «mouvement ascensionnel de l'Univers» du jésuite, à ce «mouvement cosmique vers la plus grande conscience».

Cette vision utopique pouvait mettre en danger ceux

qui avaient perdu tout sentiment national, tout sens d'une incarnation véritable, toute médiatisation avec le monde par le national. N'était-ce pas, au Québec, la possibilité d'un alibi, d'un *être ailleurs*? On se donne d'autant plus à l'utopie qu'on n'a pas de souche. Aujourd'hui, je suis davantage méfiant devant les grandes fresques visionnaires. Les peuples, pas plus que les individus, ne peuvent brûler les étapes. Je conçois que des peuples anciens, bien structurés, bien enracinés dans l'histoire, dans leur unicité, songent à s'insérer dans des organismes supranationaux; mais dans le cas des peuples aliénés, effrayés par la responsabilité de leur autodétermination politique, cela me semble un signe de maladie grave. C'était parce que ma conscience du national était aliénée que je m'attachais si directement à la vision de Teilhard de Chardin. Quelle tentation d'accéder à la Terre nouvelle avant même d'avoir pris conscience de notre réalité, de notre singularité! C'était un piège. C'était ma contradiction. Je m'éveillais dans une communauté infantile, angoissée par le risque, paralysée par un niveau de vie artificiel, résidu de la puissance américaine, et je parlais déjà de Terre nouvelle. C'est pourquoi il me semble que Teilhard de Chardin est venu trop tôt au Québec. On ne peut pas parler du grand Tout à des hommes qui sont entièrement, ou à peu près, déterminés de l'extérieur. Teilhard de Chardin peut être un leurre pour des hommes sans racine. Je me demande si ce n'est pas cette génération, la plus idéaliste, celle dont le sentiment national est le plus atrophié, qui a été la plus envoûtée par le jésuite. On a vu où cela pouvait conduire. On a vu comme *ils* parlent avec assurance de la nécessité des grands ensembles, de la «loi» de l'histoire contemporaine. Ils y croyaient d'autant plus que cette vision de Teilhard de Chardin était une ouverture, un appel d'air, un éclatement de leur propre gangue en chrétienté, un renouvellement possible, avant le Concile, pour ceux-là mêmes qui étaient restés fidèles à l'Église.

Pendant ces années de recherche, j'ai lu le *Melmoth* de Maturin, si cher à André Breton. Je fus intrigué par cette tentative d'unir l'innocence à la perversité; la fraîcheur d'une pucelle et l'abîme de Satan.

En 1959, je commençai la lecture du *Quatuor d'Alexandrie* de Lawrence Durrell. *Justine* et *Cléa* m'ont surtout ensorcelé. J'ai toujours aimé ces romans que traverse quelque femme sombre et mystérieuse. Je demeure attiré par la description de l'univers intérieur des femmes. Je pense aux héroïnes de Dostoïevski, de Tolstoï, de Jouve ou d'Anaïs Nin.

Au début de 1960, je découvris un homme qui était un brasier. Tout chez lui venait du cœur. Dès les premières lignes de son livre *La Vie de Don Quichotte et de Sancho Pança*, il nous harponnait:

> Tu te demandes, mon bon ami, si je connais le moyen de déchaîner le délire, le vertige, une folie quelconque, sur ces multitudes misérables, qui naissent, mangent, dorment, se reproduisent et meurent dans l'ordre et la tranquillité. Ne pourrait-on pas, me dis-tu, ranimer l'épidémie des flagellants et des convulsionnaires? Et tu me parles de l'an Mil.

Jamais je ne suis aussi à l'aise que dans un livre écrit par le cœur, entendu par le cœur, pour le cœur, pour l'infini désir: mais qu'ils sont rares! Il y a tellement de gens astucieux, «intelligents», de cerveaux froids, en particulier chez les destructeurs implacables des valeurs, les scientifiques arrogants. Miguel de Unamuno était un de ces hommes qui vous avivent le cœur, raniment l'exaltation et acculent au mur. Je venais de lire les pages étincelantes de Teilhard de Chardin sur l'*avenir*, et voici que l'Espagnol affirmait:

> Il n'y a pas d'avenir. Il n'y a jamais d'avenir. Ce que l'on appelle l'avenir, c'est un des plus grands mensonges du monde. Le vrai avenir, c'est aujourd'hui. Qu'adviendra-t-il de nous aujourd'hui?

Simone Weil nous posera la même question. Je lisais un homme pour qui l'existence, c'est-à-dire l'instant vécu, est la chose la plus importante, la plus prégnante. C'était vraiment un fils de Pascal et de Kierkegaard. (D'une certaine façon, Don Quichotte avait revécu en Kierkegaard.) Un homme se levait qui partait à la recherche de Don Quichotte. Unamuno l'arrachait aux mains des «bacheliers, des curés, des barbiers, des ducs et des chanoines»; il marchait vers «le tombeau du chevalier de la Folie». Afin de le soustraire aux «hidalgos de la raison». Que me disait-il, ce nouveau témoin de l'existentiel?

> Tâche de vivre constamment dans le vertige, dominé par la passion quelle qu'elle soit. Il n'y a que les passionnés qui puissent mener à bien une œuvre féconde et durable.

Que l'homme est immense! Y a-t-il apparemment deux êtres plus opposés que le moine bouddhiste et l'hidalgo Don Quichotte chargeant un moulin à vent? L'un m'entraîne vers le silence, l'autre m'embrase, me pousse à certaine déraison. Unamuno ne vivait qu'en état d'incandescence. Comme il avait raison de dire que «plus un homme est de son pays et de son époque plus il sera de tous les pays et de toutes les époques»! Avec Unamuno je marchais dans les pas de Don Quichotte, comme j'avais d'ailleurs suivi François d'Assise dans les *Fioretti*. Je n'étais que doute. Je commençais à découvrir que la «vérité c'est ce qui fait vivre, ce n'est pas ce qui fait penser». Toutes les belles vérités que je possédais me tuaient à feu lent. Certes, elles étaient intégrées à de beaux systèmes, elles appartenaient à un univers inébranlable, un univers établi sur la Révélation que, des siècles et des siècles durant, conciles, théologiens, définitions dogmatiques avaient cimenté et armé, mais j'étais ébranlé par tant de solidité. Le Christ avait affronté la grandiose tradition de l'Ancien Testament. Il venait accomplir. Don Quichotte en cherchant sa vérité était beaucoup plus près du Christ que des chanoines. J'avais l'impression, quant à moi, de faire les cent pas dans un musée de croyances. Si je ne réagissais pas, je serais bientôt suspendu à une cimaise.

Quatre ans plus tard je lirai *Le Sentiment tragique de la vie*, d'Unamuno. «Je ne trouve pas la vie supportable si la mort est l'annihilation de la conscience personnelle», écrivais-je. J'avais la «vanité essentielle» dont a parlé Jouve. Je ne me concevais pas autrement qu'immortel. Il me fallait vivre avec le Sphinx, «les yeux fixés sur ses yeux». Je m'habituais à vivre avec la mort, tout en la niant. Elle serait l'ultime expérience de mon incarnation. Ma raison et mon cœur se disputaient mon immortalité. À peine commençais-je à vivre, que déjà j'étais aux prises avec mon immortalité. Plus d'un ironiste aurait souri. Mais je me serais tourné vers lui avec le même sourire. Face à l'ironie, j'avais la force du cœur. Car, si la raison retraite sous les coups de l'ironie, le cœur résiste, lui échappe. Le cœur qui est énergie, feu alimenté par le solaire, ne peut être touché que par la flamme... ou par l'eau. Unamuno affirmait que l'amour est la force contre la mort. Éros contre Thanatos. Et non la vie contre la mort. Car la vie pousse à la mort. Les hommes, mus par une force immaîtrisable, s'avancent vers la mort comme des lemmings qui parcourent de grandes distances pour se jeter à la mer du haut des falaises. Or le propre de l'amour est l'espérance. C'est pourquoi l'amour est une énergie contre les déterminismes. En citant Horace Walpole, Unamuno m'éclairait:

> [...] la vie est une tragédie pour ceux qui sentent et une comédie pour ceux qui pensent.

Je voyais bien que je n'étais pas du côté des pensants, ni des souriants, ni des malins. Certes, je comprenais Montaigne de fustiger les tristes. Certes, il y aurait toujours des hommes pour affirmer que si Pascal avait vécu plus longtemps, il serait devenu un autre Montaigne. Mais n'est-ce pas en réalité mal connaître les hommes? Unamuno et Tolstoï, à quatre-vingts ans, sont-ils devenus des Montaigne? Demandez à Unamuno s'il a pu garder son calme face au général fasciste célébrant la mort?

Après une étude de Drieu la Rochelle, je passai à l'œuvre de James Joyce.

Plusieurs parmi nous en 1959 n'étaient pas loin de Joyce. Notre âme avait quelque parenté d'alliage avec l'âme irlandaise. Ici, les générations nouvelles apparaissaient pour retomber aussitôt dans l'oubli, tant ce peuple était privé de mémoire, lâchait prise, s'aventurait à chaque génération dans le labyrinthe avec un fil d'Ariane illusoire, fondait sa démarche sur l'informe, sur des bribes de souvenirs, sur une vague introspection sans l'attirance d'aucune constellation qui lui soit vraiment propre. Comment l'ultime désincarnation qu'est le mépris du sentiment national ne nous aurait-elle pas menacés? En fait, moi-même j'étais encore très peu attentif au drame de notre identité collective. J'essayais de me tranquilliser plus ou moins en plongeant dans le seul univers de l'art et de la religion. Joyce, comme André Suarès, s'était retiré dans cet Olympe où l'on est tenté de survoler la multitude. Mais qui peut, sauf quelques êtres excessifs, tourner le dos à sa matrice sociale? Comment ne pas partir en quête de l'œuvre «pure», si l'on méprise les hommes du quotidien? C'est en abolissant le Temps et l'Histoire que Joyce tentera de donner une autre direction à l'Histoire. Par l'utilisation de termes abstraits, il décharne le geste le plus banal. Peu à peu les mythes se dégradent. Esprit diurne, j'étais allergique à cette corrosion et à cette décomposition. J'admirais sans aimer. Non pas que je n'accepte pas l'irrationnel, mais je ne suis ému que par celui qui traverse le cœur. S'il passe subitement de l'inconscient au cerveau, à l'intelligence, je suis désarmé et je rentre sous ma carapace. Ce n'est que peu à peu que j'affronterai ce phénomène insolite qui m'assiège. Ce n'est que lors de cette seconde phase que je pourrai comprendre. C'est un peu comme si les œuvres qui sortent des conques, des labyrinthes avaient comme premier effet de me plonger dans un cyclone où je m'enfonce avec vertige. C'est en m'acclimatant à la spirale que je remonte. Alors je peux replonger sans anxiété. J'ai des yeux sans paupières. Je reçois les éclats. Je subis les nuits. Mais je n'agonise que s'il y a quelque fusion, que si je suis dans un creuset. Ce n'est jamais sans angoisse que j'assiste à la destruction. Ce n'est jamais sans tremblement que je sens l'œuvre des puissances démoniaques. Je suis demeuré assez naïf pour ne pas me croire un prince de la nuit, ni un maître de forces obscures. Dès que je sens que cet univers se déchaîne, je suis sur la défensive, serrant dans mes mains une grenade de soleil que je me lancerai dans l'esprit. Comme tout être j'agirai par instinct de survie. Face à Buchenwald, au Biafra, au Viêt-nam, je ne peux résister. Je n'oppose mon espérance que parce qu'elle surgit comme l'espérance accumulée depuis toujours dans le cœur des hommes. Ainsi je ne sombre pas dans la folie.

Le 15 juin 1959, Edgard Varèse est interviewé à l'émission *Carrefour* de Radio-Canada. Nous avions échangé quelques lettres, mais c'était la première fois que je voyais sa merveilleuse tête jupitérienne. Quelle mobilité dans ce visage! Je fus fasciné par sa personnalité, comme je l'avais été par sa musique. J'eus aussitôt l'idée d'un numéro spécial de la revue *Liberté* qui lui serait consacré. Après avoir eu l'assentiment de Varèse, j'écrivis à la plupart des compositeurs canadiens et québécois. Je m'aperçus que très peu avaient vraiment fréquenté son œuvre. Varèse m'envoya le texte inédit d'une conférence qu'il avait donnée à l'Université de Princeton. Je mis au point une chronologie qui sera par la suite abondamment pillée. C'était le premier ensemble de textes consacrés à ce génie.

En établissant ma chronologie je me rendis compte qu'il n'y avait à peu près rien de publié sur la vie de ce compositeur. Très naïvement, sans aucune préparation spéciale, j'offris à Varèse d'écrire sa première biographie. Il me fit aussitôt confiance. En me rendant à New York régulièrement je devins vite l'«oiseau» du couple Varèse (parce que je becquetais plus que je ne mangeais). À la fin de ma première visite, qui dura quelques jours, Varèse me révéla *Pelléas et Mélisande*, de Debussy, puis le *gagaku* japonais. Dans l'obscurité de son sous-sol, nous écoutâmes le dernier acte de *Pelléas*.

Dans cette ambiance de sympathie et de ferveur, je fus captivé. Au sujet de Mélisande j'écrivis: «Rien ne nous avertit de son départ dans la mort. On pourrait désirer de nouveau entendre sa voix, mais Mélisande s'est tue. Elle est bien morte [...]. On ne se fait pas à sa mort. On n'y croit pas, pas plus que Golaud.» Il n'y eut peut-être jamais, sur la scène, de mort si sobre, intense et muette. Tout cela m'avait été communiqué par le silence de Varèse. J'avais déjà écouté de la musique avec des musiciens professionnels, mais le plus souvent c'étaient des hommes insupportables, insensibles, qui ne surveillaient que les pièges de la technique et de l'interprétation. Ils ne vibraient pas. Avec Varèse, c'était l'illumination, l'audition profonde, l'union. Il savait entendre. Il était ouvert à l'émotion. Il était créateur même dans le silence. Jamais je n'oublierai cette révélation de l'enregistrement de Roger Désormière.

Hermann Hesse a écrit en commençant son livre *Demian*:

> Je ne voulais qu'essayer de vivre ce que je portais en moi. Pourquoi était-ce si difficile? [...] Mais chaque homme n'est pas que lui-même seulement. Il est aussi le point unique, particulier, toujours important, en lequel la vie de l'univers se condense d'une façon spéciale, qui ne se répète jamais [...]. C'est pourquoi l'histoire de tout homme est importante, éternelle, divine.

Certes, sans cette humble conviction, je n'aurais pas entrepris ce livre. Pourquoi est-il si difficile d'être soi?

Toute ma vie était centrée sur l'amour. Mais j'étais encore loin de pouvoir bien aimer. Je n'étais qu'égocentrisme. De plus, je n'avais pas encore réussi à extirper la culpabilité de mes relations sexuelles. Cela n'était pas conscient. Après cinq ans de mariage, je me sentais souvent pris dans l'engrenage de la «mécanique érotique». Que la tendresse était inaccessible! Que d'actes manqués! Comme toute cette tendresse appelée était reléguée dans l'ombre par l'angoisse, angoisse qui se manifestait quelquefois par des besoins sadiques ou masochistes en réalité bien timides, à peine esquissés. Comment n'aurais-je pas fait l'amour avec agressivité, quand je le faisais souvent pour apaiser mon angoisse? Comme si l'étreinte de la femme me sécurisait, éloignait l'ombre de la mort qui rôde. Faire l'amour devenait un moyen de hurler comme une bête blessée. Ma culpabilité ne venait pas de la relation sexuelle, mais de sa déviation, de son utilisation dans une lutte contre l'angoisse. Je me sentais coupable de n'être pas toujours tendre, de prendre la femme pour un abîme en lequel je pouvais choir indéfiniment, sans le frein sublime de l'amour, aurait dit René Char. Nul mieux qu'Italo Svevo n'a précisé cette tension entre la chasteté tendre et la menace de la bouche.

> J'approche mon visage du tien, et je ne sais pas encore si je vais te manger ou te mordre. Je me limite au baiser par grandeur d'âme, mais le sentiment de ma grandeur d'âme m'accompagne avec une telle constance que le baiser a pour moi la saveur d'une morsure (*Journal pour sa fiancée*).

À ce moment-là j'avais toujours la foi, comme aujourd'hui je conserve une foi élémentaire. Mais la pratique religieuse était devenue un asservissement dont je ne m'étais pas libéré. Ne faut-il pas toujours briser les rouages des comportements mécaniques, se déprendre de l'automatisme là où l'acte doit être libre? Il n'y a pas d'autre voie pour le salut de la sincérité et de l'authenticité. Je découvris en lisant *La Pierre d'achoppement et Les Mémoires intérieurs* de François Mauriac de graves pensées dont je pouvais me nourrir.

> Rien n'use plus sûrement Dieu dans une âme que de s'être servi de lui au temps des années troubles: la moins périlleuse façon de s'émouvoir, voilà sans doute ce que cherchait dans la religion ma vingtième année.

Cela aurait pu être mon cri. Dieu s'usait en moi par la répétition de gestes et par le poids d'un faux mysticisme qui avait commencé à peser sur moi dès l'âge de cinq ans. Certes, rien n'est plus dangereux que cette mort de Dieu par l'usure. La rupture brutale, prométhéenne, le blasphème permettent un revirement, une nouvelle métamorphose. Mais l'usure?

> [...] pour ceux de ma race gardés comme s'ils eussent été appelés à vivre au milieu des anges, rien n'annonçait le visiteur inconnu. La chair et le sang étaient enchaînés par quelque sortilège céleste.

Mauriac croyait que cette expérience douloureuse n'était plus possible. Or je venais de vivre au Québec cette expérience. Rien ne m'avait préparé à l'éruption de la sexualité, à cette lave au ventre. Je ne savais pas que ma recherche de Dieu était une expression de ma sexualité étouffée. Je risquais fort, par la suite, lorsque je prendrais conscience de cette force, de lui donner l'attention que j'avais donnée à Dieu. Ce que j'avais identifié à Dieu risquait d'être divinisé par la passion. Ainsi se vengerait la vie. Jean Le Moyne, dans une conférence donnée à la télévision, m'avait frappé par son réquisitoire contre ceux qui avaient assassiné Saint-Denys Garneau, ceux qui ne lui avaient pas appris à vivre, à respirer normalement comme tout homme. Je décidai donc de prendre le risque d'une rupture avec l'Église visible, afin de me sauver. J'avais près de trente ans. Enfin je me mettais en question! Tout m'était devenu insupportable dans notre chrétienté. Il valait mieux que je m'efforce de préserver l'essentiel: l'errance de la sincérité. Par cet acte de rupture non seulement je renaissais, mais je me libérais du lourd passé de ma société. C'était sûrement une libération de mon milieu, de ma chrétienté de pharisiens. Nous vivions d'ailleurs, sur ce plan, dans l'une des dernières chrétientés, l'un des derniers vestiges du Moyen Âge. Parvenue à un certain point d'hypocrisie, d'apparence, de mécanique, d'artificiel, d'illusion, de tradition, la chrétienté fait le jeu de la mort. Nous ne savions plus respirer. Nous ne savions plus choisir. Ma collectivité était frappée de paralysie. Sa soumission à tant d'intérêts occultes était une tragédie. De là à se laisser mourir, sans même en souffrir, sans même s'en rendre compte, il n'y avait qu'un pas. C'est pourquoi il nous est si difficile, encore aujourd'hui, de retrouver une ancienne énergie, un ancien courage de vivre en devenant ce que nous pouvons être. Notre société est engagée dans cette lutte. Aura-t-elle le courage et la maturité de choisir? de devenir ce qu'elle est? de secouer les fausses déterminations et de se redresser?

NOUS

1961-1963

Du 12 mars 1961 au 24 août 1962, j'écrivis les premières versions de la plupart des poèmes qui paraîtront dans *Le Soleil sous la mort*. En chaque travail d'écriture je cherche tant la plénitude, que j'ai souvent l'impression, à la fin, que je ne pourrai plus jamais écrire. Comme si à chaque acte d'écriture je glissais dans la mort. Je ne m'arrache à l'empierrement, que si la foudre traverse le silence pour me harponner l'âme.

Lorsque je m'écarte (l'écart ne fonde-t-il pas la parole, *ma* parole?) d'une rhétorique trop molle, on m'accuse d'être exsangue. On nomme lyrisme ce qui est rhétorique. On appelle sécheresse ce qui est musique. Tant mieux, semble-t-il, pour ceux qui ont le filon de la cadence sécurisante, de l'automatisme de la cellule rythmique répétée comme s'ils étaient frappés d'enrayage: on les qualifiera de musiciens. On s'accommode de beaux sentiments, de futilités poétiseuses. Mais le mot-diamant qui lacère? Le mot-noyau qu'il faut énucléer malgré la résistance des mémoriaux, des strates, des sédiments que toute langue renferme? Le mot-feu qui recouvre l'âme? Le mot blanc qui tire le soleil à l'horizon? On demande trop souvent au poète qu'il soit frappé d'amnésie face aux puissances indicibles de l'interminable pérégrination poétique. Seuls devraient lui suffire les poèmes-affiches qui servent les grandes causes. N'est digne d'enchâssement que la mémoire collective. Qu'importe l'immémorial de l'âme insatiable! Je sens bien pourquoi on a préféré, par exemple, Éluard à Jouve. Comment ne pas être seul avec des poèmes brûlant à la «pointe de l'âme», parmi des gens qui n'ont pas faim ou sont sourds? Ici on nous dorlote si aisément que nous risquons de nous avachir.

Pendant cette période je fus alimenté par la qualité des grands textes mythiques. La réalisation d'une longue série d'émissions consacrées aux mythologies, intitulée *Les Mondes imaginés*, me familiarisa avec ce que d'aucuns ont appelé la pensée archaïque ou sauvage. Je fus plus directement touché par les mythologies amérindiennes. Comment ne pas être saisi par la marche de Quetzalcóatl montant sur le bûcher? Par les amples incantations du Popol-Vuh? Par l'épopée éblouissante du livre de *Chilam Balam de Chumayel*?

> Et le visage du soleil fut mordu. Et son visage s'obscurcit et s'éteignit. Et alors ils s'effrayèrent là-haut: «Il s'est brûlé! Notre Dieu est mort!», disaient ses sacerdotes. Et ils commençaient à penser, à faire une peinture de la figure du soleil lorsque la terre tremble, et ils virent la lune.

Et la grande poésie des Pawnee? la quête du «pays des enfants». Et l'ascèse des Zuñis?

> Habillé de plumes de corbeaux,
> Le carquois à mes côtés,
> J'attends Yeibitchai.

Mon âme deviendra bleue.
Et il me parlera:
Sa bouche me révélera
Quel nuage je dois suivre
Pour trouver le grand secret:
Le Hogan céleste,
Notre éternelle demeure [...].

Et les prières des Iroquois?

> Nous remercions la lune, les étoiles et le soleil. Puisse le soleil ne jamais nous cacher sa face de honte et nous laisser dans les ténèbres.

Et l'étrange peuple des Tarahumaras, dont nous a si bien parlé Artaud? «Les hommes ne mangent que l'âme [...].» Et l'hymne à Viracocha, le père des Incas:

> Seigneur, des serviteurs avec leurs yeux tachetés désirent te voir. [...] Le soleil, la lune, le jour, la nuit, l'été, l'hiver ne sont pas libres. Ils reçoivent tes ordres [...]. Et vous, rivières, cascades, et vous, oiseaux, donnez-moi votre force et tout ce que vous pouvez, aidez-moi à crier avec vos gorges, avec vos désirs, et nous remémorant tout, réjouissons-nous, soyons heureux. Et, ainsi gonflés, nous partirons.

Et ce cri des Pueblos: «Faites que notre mère, la terre, se couvre quatre fois de fleurs?» Et le chant de mort des Queche-Achi?

Toi aussi, je te couvrirai de cailloux noirs.
Je te couvrirai de plumes noires,
Je te couvrirai de roches noires.
Ton sentier te conduit au pays du néant,
Au cercueil noir de la montagne [...]

Déjà ton âme se fane,
Elle devient bleue.

Nous ne sommes pas loin du poète autrichien Georg Trakl qui écrivait:

> La lune, on croirait un mort
> Sortant de son trou bleu [...]
> Fleur bleue
> Qui chante bas dans la pierre flétrie.

Et l'angoisse du Cherokee vivant avec la mort?

> L'activité continuelle des vers est ma frayeur [...]
> Dans mon angoisse je songe,
> Dites donc, la vie était si belle sur terre?

Et l'espérance de l'Ojibwa?

> Lorsqu'un arbre tombe et pourrit, il ne meurt pas vraiment. Il ne fait que dormir; tôt ou tard, il se réveillera pour revenir à la vie.

Et la foi de l'Esquimau? «Lorsque les gens meurent, ils montent au ciel et deviennent lumineux.» Je n'ai fait allusion qu'à quelques grandes mythologies amérindiennes, mais que dire du *Livre de Gilgamesh*, des mythologies indiennes, polynésiennes?

En découvrant ce vaste univers à l'origine de la pensée, qui sans doute constitue en partie le bassin de l'«inconscient collectif» dont parle Jung, je me suis ouvert également au folklore de peuples divers, à leur musique rituelle. Je demeure marqué par les lamentations lancinantes des moines tibétains du Sikkim, par la joie des bouddhistes d'un monastère de Séoul, par les chants d'amour de Mongolie, par l'incantation des «coupeurs de têtes» de Bornéo, par la mélopée de l'Indien des plaines, par le hiératisme sublime du *gagaku* japonais!

À la fin de 1962, j'ai pu lire l'ouvrage troublant qui s'intitule *La Merveilleuse Aventure de Cabeza de Vaca*, reconstituée par Haniel Long. À la suite d'une expédition désastreuse sur la côte de Floride, en 1528, une poignée d'Espagnols avaient échoué près de Galveston (Texas), dans le golfe du Mexique, parmi lesquels le lieutenant Cabeza de Vaca. Cet homme qui a tout perdu, durant huit ans, pieds nus, sans vêtements, descendra vers le Mexique. Au contact des Indiens, ce Blanc arrogant se purifiera pour devenir à la fin une sorte de thaumaturge. À son retour en Espagne, il publiera son aventure. Par les yeux de cet homme nous devenons témoins de la transformation de son âme et nous découvrons l'Indien.

> Les Indiens revinrent nous trouvant aussi nus qu'eux, notre bateau perdu, et en pleurs. Assis à nos côtés, ils versèrent aussi des larmes. Je pleurai davantage, à la pensée que ces gens si misérables avaient pitié de nous.

Comment résister à la tentation de mettre en parallèle, grâce à Louis Massignon, ce texte du mystique Rūm?

> Celui-là dont la beauté rendit jaloux les Anges est venu au petit jour, et il a regardé dans mon cœur. Il pleurait et je pleurai jusqu'à la venue de l'aube, puis il m'a demandé: De nous deux, dis, qui est l'amant?

Dans sa *Relation* à Charles-Quint, Alvar Núñez Cabeza de Vaca écrit:

> Le pire consistait à renoncer peu à peu aux pensées qui habillèrent l'âme d'un Européen, et qui plus est, à l'idée qu'un homme obtient le pouvoir par le poignard. [...] C'est dans cette période, si j'ai bonne mémoire, que je commençai à penser aux Indiens comme à des frères humains. [...] Et tout en priant avec force, j'ai senti comme une déchirure en moi par laquelle m'était insufflé le pouvoir de guérir. [...] Je dis à André: «Si nous parvenons en Espagne, je solliciterai de Sa Majesté mon retour dans ce pays, avec une troupe de soldats. Et j'enseignerai au monde comment la douceur est victorieuse, et non le massacre [...]» Tant que j'étais avec les Indiens, je ne pensais qu'à leur faire du bien. Mais à mon retour, j'ai dû bel et bien me surveiller pour ne pas faire de mal à mes compatriotes. Si l'on vit où tout souffre et se prive, une tendance particulière vous pousse à venir en aide. Mais là où tout abonde, nous abandonnons notre générosité, croyant que notre pays nous remplace, chacun ou tous.

Pour avoir une idée de l'élévation d'esprit de Cabeza de Vaca, voyons, par exemple, comment les colons traitent les Indiens dans un mémoire de la Commission des moines de l'ordre de Saint-Jérôme, en 1517:

> [...] ils [les Indiens] fuient les Espagnols, refusent de travailler sans rémunération, mais poussent la perversité jusqu'à faire cadeau de leurs biens; n'acceptent pas de rejeter leurs camarades à qui des Espagnols ont coupé les oreilles. [...] Il vaut mieux pour les Indiens devenir des hommes esclaves que de rester des animaux libres.

Ce texte, rapporté par Lévi-Strauss dans ses *Tristes Tropiques*, démontre à quel point Cabeza de Vaca fut transformé par l'humanité de l'Indien qu'on disait privé d'âme. Qui était chrétien de l'Indien pleurant ou de l'inquisiteur? Mais ces Indiens ont été exterminés par la race des Blancs supérieurs, élus par Dieu, colonisateurs de l'Amérique. Nous les avons méprisés parce que nous parlions au nom du Christ, tels des élus. Aujourd'hui même, on continue à massacrer des Indiens. Nous n'avons pas encore accédé à cette humanité des Indiens de l'Espagnol. Nous sommes les pires barbares avec des fusées perfectionnées, et l'autorité de la puissance. Au nom de quels intérêts politiques et économiques un président américain, par exemple, se prend-il pour un civilisé? Or le président qui ordonnait des bombardements au Viêt-nam, au Guatemala, ce superpuissant de la nation superpuissante, n'arrive pas à la cheville de ces Indiens qui furent anéantis. Écoutons le récit de Cabeza de Vaca, en silence, face à notre âme. Pouvons-nous dire que le Blanc superpuissant est plus humain que cet Indien pleurant avec les Espagnols perdus? Et pourtant notre supériorité de Blancs et de chrétiens se fonde sur ces mensonges depuis des siècles. En 1528, des Indiens pleurèrent avec des soldats perdus sur un rivage du Texas. Déjà Cabeza de Vaca affirmait qu'il n'y a pas de pouvoir par le poignard. Malheureusement, aucun superprésident de quelque superpays, chrétien ou non, n'a compris ce qu'un lieutenant espagnol a reçu des Indiens les plus démunis. Pensons à la confession des soldats américains de retour du Viêt-nam. Ils se sont comportés comme des bourreaux parce qu'on leur avait fait croire que les Vietnamiens étaient des sous-hommes. Près de trente ans après les camps nazis, des chars américains ont écrasé des enfants par *jeu*, les soldats du grand pays blanc ont empalé des femmes, mitraillé tout ce qui était «jaune» et humain. Nous en sommes toujours là depuis que Cabeza de Vaca est mort. Nous parlons de progrès, de grands ensembles, d'efficacité technologique, de consommation et de participation. Et si nous n'étions encore que des morts? Et si, à la place de toute affiche, de tout placard publicitaire, nous mettions les simples paroles de l'Espagnol? Peut-être que l'âme commencerait à prendre une signification. Je ne comprends pas encore comment le Blanc n'a pas disparu sous la répétition de ses actes de mort, comment il ne s'est pas enfoncé dans la terre sous le poids de son orgueil, comment il n'a pas éclaté sous la pression de son misérable pouvoir. Ne s'est-il pas donné qu'à la Puissance et à l'Argent? En écoutant Cabeza de Vaca nous savons qu'il ne s'agit pas là de *mots*. Nous savons que nous sommes morts.

En 1962, je me rendis voir les deux dernières parties de la fresque que Masaki Kobayashi intitula *La Condition humaine: Le Chemin de l'éternité* et *La Prière du soldat*. Pour la première fois au cinéma, j'avais l'impression de pénétrer dans une œuvre qui avait la démesure, la tragédie, la quête de l'humain que j'avais trouvées chez Dostoïevski ou Shakespeare. Je fus bouleversé par les images. Je revois, dans une baraque de Mandchourie, à contre-jour, Michiko se dénudant, pleurant et grelottant, faisant à Kaji, son mari, le seul don qui dépendît d'elle: l'offrande de son corps nu et froid. Je revois Kaji s'évadant de Sibérie et marchant vers la Mandchourie traqué comme une bête, marchant jusqu'à la mort vers Michiko. «Kaji, qui n'avait que l'amour à donner, écrivais-je, ne pouvait que mourir dans la plus parfaite nudité, écrasé contre la terre gelée, enseveli par la neige. S'il avait retrouvé Michiko, il serait ressuscité, mais la résurrection n'est pas d'ici, n'appartient pas au temps. On ne ressuscite que hors du temps, hors de la condition humaine... Et Kaji assuma jusqu'au bout sa condition humaine: la mort.»

Un mois plus tard j'écrirai «Tombeau de Kaji», personnage imaginaire de quelque grande idée de l'homme. Kaji était devenu pour moi une présence familière, un frère.

En l'été de 1963, je vis maints films dont *Le Guépard, L'Éclipse, Salvatore Giuliano, La Vie criminelle d'Archibald de la Cruz, Harakiri, L'Ange exterminateur, Le Procès de Jeanne d'Arc, Le Petit Soldat, Les Carabiniers, Le Couteau dans l'eau, À tout prendre, Pour la suite du monde* et *8 1/2*. Autant j'ai aimé Antonioni, Fellini, Buñuel, Kobayashi, autant la propreté de Bresson et le cynisme de Godard me furent insupportables.

Voyons *L'Ange exterminateur*. Comment ai-je compris alors l'allégorie de Buñuel? «Il semble que plusieurs interprétations soient possibles. Chose certaine, le film me paraît difficilement compréhensible sans le sens des symboles chrétiens. C'est le problème de la nécessité du sacrifice d'un individu pour la libération de tous. Diverses formules sont essayées: promesse de pèlerinage, magie, occultisme des francs-maçons, etc. Mais la solution ne nous illumine que lorsque le maître de la maison est prêt à donner sa vie. Un rideau blanc s'ouvre. C'est le point de départ. On sent visuellement qu'une lumière a pénétré les deux êtres en présence. Si à la fin on retombe prisonnier de l'ange, c'est que le cycle est l'image fidèle de la tragédie humaine. Le don de soi n'est pas déterminant pour toute l'histoire de l'homme, mais seulement pour tel désespoir situé dans le temps et l'espace. Il y a donc, d'une certaine façon, un refus de la rédemption, du salut hors du temps, pour tout le temps, en faveur d'une espérance en mille rédemptions. Buñuel demeure donc achrétien ou antichrétien. Il admet aussi, paradoxalement, qu'une force invisible fasse irruption dans l'histoire de l'homme. Et ce n'est que le don de soi qui peut la détruire. Nous sommes loin de l'Église et des solutions par le rite.»

J'ignore pourquoi je ne parvins pas à aimer *Le Procès de Jeanne d'Arc* de Bresson. Jamais je ne fus ému. Jamais le visage de Jeanne ne vécut profondément. À force d'hiératisme, tout se figea. Le visage de Jeanne n'avait pas cette ardence que Dreyer avait su allumer en Marie Falconetti. Tout m'a semblé trop propre, trop impeccable. Bresson a poussé si loin l'antithéâtre, qu'il est tombé dans le pire théâtre. Tout était trop blanc dans ce décor: la cellule, les draps, l'estrade; rien ne reflétait la marque misérable de l'homme. Je n'avais pas besoin d'un film pour méditer sur les paroles de Jeanne. Je n'avais qu'à lire le compte rendu du procès. Nul film n'est réductible à la parole. *Le Condamné à mort*, soutenu par la *Messe en ut mineur* de Mozart, avait un tout autre impact. De même *Le Journal d'un curé de campagne*.

Après la lecture de quelques poètes et romanciers d'Amérique latine tels Vicente Huidobro (*Altaigle*), Jorge Carrera Andrade, Octavio Paz, Jorge Guillẽn, Alejo Carpentier et Miguel Àngel Asturias, je me souviens plus particulièrement de *L'Énergie humaine* de Teilhard de Chardin, du *Guépard* de Di Lampedusa et de *Présent et Avenir* de Jung. Plusieurs remarques m'ont touché dans ce dernier livre:

> [...] et c'est pourquoi il est prudent de savoir que l'on possède une «imagination dans le mal», car seul l'imbécile croit pouvoir se permettre d'ignorer et de négliger les conditionnements de sa propre nature.

J'étais d'autant plus frappé que j'avais interrompu ma lecture d'*Histoire d'O*, peu de temps auparavant, précisément parce que cette œuvre n'était que du sadomasochisme cérébral. Je ne voulais pas avoir ce poids dans l'inconscient. Moi aussi je pouvais imaginer assez de situations cruelles sans m'ensemencer le «souterrain» par les élucubrations d'un autre. Ce n'est que maintes années plus tard que je repris ma lecture d'*Histoire d'O*, sentant que j'étais devenu moins vulnérable à l'action d'un pareil livre. Je me souvenais de cette observation de John Cowper Powys qui avait confessé qu'à cinquante ans il commençait à maîtriser le frisson du sadisme. Dans son *Autobiographie*, il remarque: «Durant ces dernières années, ma conscience s'est montrée sévère au point de m'obliger à sauter dans les livres modernes les passages — et ils sont nombreux — qui jouent avec le penchant du sadisme.» Il n'y a pas d'immunité. Powys, qui avait une sensibilité aiguë, le savait bien. On ne se méfie jamais assez des forces obscures. Nous n'ignorons pas que dans certaines situations paroxystiques les hommes de tous pays se sont comportés en bourreaux. Quand on prend conscience de cela, quand on a exploré certains soubassements, on se méfie des excursions frivoles dans le morbide et dans les scènes de cruauté qu'exploite sans cesse, par exemple, la télévision américaine. Notre sensibilité et notre imagination sont bien assez violentées par le réel, par les nouvelles, par les images de l'actualité. Ne faut-il pas se protéger continuellement? Qu'on relise le témoignage de l'ex-prostituée Xavière Laffont. On se rendra compte que l'univers concentrationnaire d'*Histoire d'O* est vécu chaque jour par de multiples femmes dans le désespoir le plus total. Quand on sait qu'une femme réelle, à notre époque, peut devenir un objet de jouissance enchaîné, torturé, anéanti, vendu au plus offrant, on est moins complaisant face au système de la prostitution organisée. Je ne peux que ressentir une vive brûlure quand je me revois solitaire à l'étranger, attiré par les rues «louches», attiré par les femmes comme un éphémère par la flamme. Certes, je suis fasciné par ce «possible». Que j'aie consenti ou non a peu d'importance ici. Ce qui me terrifie, c'est de constater qu'on peut devenir souteneur de maquereaux, associé de la pègre, complice de l'esclavage organisé. On ne doit pas prendre à la légère l'attrait que peut exercer la prostitution. Si tous les cas ne sont pas tragiques, la prostitution comme telle est une tragédie incommensurable, car c'est accepter qu'un être humain soit un objet, un esclave. Cela m'est devenu tout à fait intolérable. Et pourtant, je devrais peut-être m'enchaîner au mât comme Ulysse si l'occasion se présentait, tellement la fascination demeure. Sans cette emprise, comment la prostitution pourrait-elle survivre? C'est dans le mal de l'homme, dans sa solitude, dans son angoisse, qu'on peut trouver la réponse.

Au printemps de 1963, je fus très atteint par les événements du FLQ. Jamais l'«histoire» ne nous avait paru aussi immédiate. Jamais nous ne nous étions confrontés aussi quotidiennement avec des faits qui nous concernaient tous. Il n'y avait pas d'évasion possible. Ce fut, du moins pour moi, le début d'une crise. Toute ma nature s'opposait à la violence. On se rappelle comment la douceur de Cabeza de Vaca m'avait émerveillé, comment la tragédie de Kaji, pris dans un tourbillon, m'avait remué, comment surtout la découverte des camps nazis ne m'avait plus laissé de repos. C'est le cœur toujours plein des images de brutalité, de cruauté, d'humiliation, que j'écrivis ma «Lettre aux mystiques de la violence». Ma position était irréductible. Par le fait même, j'affirmais mon incapacité totale à concevoir une action dite politique. Cela me valut des sarcasmes et peut-être un certain mépris. Malgré tout, cherchant dans ces moments difficiles une véritable justice, j'ai dû m'expliciter davantage. Je suis parti de ma réaction «humaniste» pour proposer une étude plus objective: «Violence, révolution et terrorisme». Ce fut l'une des rares prises de position face au FLQ. Certains psychologues, journalistes s'étaient comportés de la façon la plus infantile. Ils n'étaient que des autruches s'enfouissant la tête dans le sable. Je ne dis pas que ma position pouvait satisfaire les fanatiques, les sectaires, mais je crois que même les radicaux pouvaient l'accepter. C'est d'ailleurs dans les milieux de la gauche française que mon article fut le mieux reçu. Le rêve d'une solution globale n'était pas forcément compatible avec un regard lucide sur la situation. Certains identifiaient la vie et l'idéologie qu'ils venaient à peine de découvrir. Quelle idéologie peut contenir la vie? Il n'y avait pas de solution toute faite, dans quelque traité de Marx, de Lénine ou de Fanon que ce soit. Jongler intellectuellement avec leurs idées pouvait nous acculer aux pires illusions et nous éloigner du réel. Il nous faudrait inventer notre solution, la rechercher longuement, après avoir bien observé *notre* réel.

Dans cette période d'agitation, je me suis mis à réfléchir à la notion «terne» de tolérance; ce qui était presque un défi. Parler de tolérance alors que nous étions tous troublés, alors que la colère nous enivrait, qu'elle lançait un appel au réveil de la collectivité, n'était pas une action de tacticien habile. C'était peut-être le premier jalon d'une réflexion qui pouvait nous permettre de repenser notre histoire et d'agir. Il m'importait peu de ne pas plaire, je m'efforçais de comprendre. Celui qui au Québec s'éveilla aux événements de 1963 ne pouvait plus être le même homme. Personnellement j'en sortais différent, plus sensibilisé à toute injustice, plus sensibilisé à tout ce qui pouvait amoindrir l'unicité du peuple québécois. Mais il fallait échapper à ce qui pour quelques-uns était une fièvre et une exaltation. Il y avait trop de complaisance lâche chez beaucoup d'observateurs. Cette expérience fut vécue d'autant plus profondément qu'elle le fut au sein du comité de la revue *Liberté*. Ce qui signifie que j'étais en continuelle confrontation non seulement avec la nouvelle revue *Parti pris*, qu'une recherche sincère ne me permettait pas d'éviter, mais également avec le travail de réflexion collective de notre propre équipe. J'allais du désespoir à l'espoir, de la rébellion à la candeur, de la frénésie à l'effondrement. Je faisais lire ce que j'écrivais à un ami. La maturité de son jugement m'aidait à ne pas perdre pied dans la réalité. Il me permettait d'éviter certains pièges de ma spontanéité. Par contre, d'un autre point de vue, une telle agitation, une telle passion m'étaient néfastes. Je me dispersais. Je ne savais pas me servir du peu d'énergie que j'avais. Je tournais en rond comme une bête en cage, impuissant, crispé, pitoyable. Et pourtant, que nous étions loin des événements autrement plus graves de Hongrie, d'Algérie, du Viêt-nam, du Congo, du Biafra ou du Bangladesh! La guerre du Viêt-nam, par exemple, me semblait une aberration inconcevable, un mystère pour mon esprit. Encore aujourd'hui, je ne parviens pas à comprendre qu'une guerre où l'on tue des adolescents à coups de pied puisse être une guerre juste. Ce ne sont pas la force, la puissance d'une nation qui effacent la monstruosité de ses crimes. Il ne peut y avoir de cause juste là où l'on tue des enfants en jetant des grenades dans les huttes. De toute façon, il faut bien que je me rende à l'évidence: la notion de justice n'a plus aucun sens. Elle n'a plus cours à la Bourse des valeurs.

Tous les tortionnaires ont de belles idées, de belles justifications. Voyez les «escadrons de la mort», les policiers justiciers du Brésil, les «purs» militaires du Chili. Je n'arrive pas à chasser de moi l'idée qu'un jour la mort déferlera sur ce continent d'Amérique. Il y a tant de génocides, tant de lynchages, tant de racisme, tant d'injustice, tant de meurtres, tant de violence (ce continent où le criminel blanc est libéré par un jury de Blancs avec des applaudissements, parce que la victime était un Noir luttant contre une injustice scandaleuse); il y a si peu de tendresse, de compassion, d'amour, dans ce continent où la barbarie domine tout, que celui-ci ne pourra indéfiniment éviter d'être lui-même passé au feu de la guerre, et peut-être de la guerre civile. Ce jour-là, il vaudra mieux faire partie des opprimés, des minorités. Ne vaut-il pas mieux subir l'injustice que la commettre? Je crois toujours qu'il vaut mieux être victime que bourreau. Si je me trompe, il aurait mieux valu que je ne sois jamais homme.

En septembre 1963, je commençai une lecture des ouvrages de Kierkegaard. En affrontant cette œuvre considérable, je me remis sans cesse en question. Si bien que j'écrivis en cinq mois près de sept cents pages de réflexions et pris deux cents pages de notes. Je me tournais vers un homme dont la vie avait été un «martyre», un homme qui peu à peu sera asséché par sa passion inhumaine de l'Absolu. Ce sera une façon de liquider beaucoup de choses dans ma propre histoire. Simultanément j'entreprendrai des exercices quotidiens de gymnastique, afin d'aider mon corps à supporter ma faim de tout. Je n'avais pas de système nerveux. Il me fallait absolument me protéger contre mes tendances dépressives. Richard Jefferies a écrit: «[...] ceux qui empêchent la croissance de leur vie physique empêchent presque certainement celle de leur âme.»

En lisant Kierkegaard

Ici je veux moins retracer la démarche de ma lecture de Kierkegaard que projeter quelques sauts, quelques prolongements que faisait mon esprit sans cesse provoqué par cette lecture.

L'explication du mal par le péché originel m'a toujours préoccupé. Il fut un temps où tout cela me semblait clair. Maintenant je comprends de moins en moins. J'avais été gagné par l'explication d'un théologien qui parlait d'un don d'amour *en suspens* que Dieu n'aurait jamais retiré. J'en suis toujours au même point: le péché originel est un postulat comme l'est le salut. En dehors de la Révélation tout s'écroule. J'écrivais: «Antérieurement à la culpabilité qui apparaît chez l'homme dans son rapport avec Dieu, je suis convaincu que nous avons à la racine même de notre conscience une angoisse qui naît de la perception de notre finitude, de notre certitude de mourir. Cette angoisse, préalable à tout, fonde la relation de l'individu avec la mort. N'est-elle pas inhérente à la constitution même de l'homme? La certitude de mourir me semble la première entaille profonde par où pénètre le néant... Cette angoisse seule ne seraitelle pas suffisante, hors de la sphère du religieux, pour concevoir l'humanité tel un immense corps existentiel soumis à l'angoisse? De toute façon, l'expérience vive de cette angoisse me paraît suffisante pour que chacun de nous soit sensibilisé à l'autre, pour que chacun ait de la compassion pour l'autre. Cette angoisse pourrait à elle seule établir des liens de *pitié* entre hommes qui vont mourir.» (Je trouverai dix ans plus tard dans *Ô vous, frères humains* d'Albert Cohen, une expression de la même prise de conscience, lorsqu'il écrira: «[...] vous qui mourrez et que votre agonie si proche n'empêche pas de haïr.») Il s'agit là d'une première démarche possible. Dans la deuxième, je me sens solidaire des injustices qui se commettent contre les hommes. À ce stade je suis coupable, et cette culpabilité peut déboucher sur l'absurde. Dans une troisième démarche, ma culpabilité — fondée sur le rapport soi-Dieu — englobe, en le dépassant, le rapport soi-humanité. Cette dernière démarche assumée fait éclater le néant et l'absurde.

L'espérance est la brèche ouverte dans l'absurde. Car la conscience de notre finitude est si aiguë, qu'une fermeture de l'homme sur soi est possible et même probable. D'où la nécessité d'une expérience continue de notre culpabilité, la nécessité d'une tension dans la relation soi-Dieu, qui laisse ouverte la blessure. Sinon la conscience suffoque et retombe dans le rapport soi-mort élémentaire, devenant le jouet d'une descente infinie dans l'absurde. La relation soi-mort serait la thèse; soi-humanité, l'antithèse; et soi-Dieu, la synthèse. Dans l'antithèse, l'homme se perçoit comme cause d'injustice et de mal, se sentant solidaire de tous ceux qui les subissent: il découvre la culpabilité, il se découvre en relation, en situation. Sans l'espérance, l'être est déchiré par la dialectique, le désespoir imprègne la culpabilité, la couvrant de ses larges ailes noires. Il s'agit en quelque sorte d'un engagement désespéré, puisque notre action finie se mesure à l'infini de souffrance et d'injustice. Je parle ici d'un infini vertical s'opposant à un infini horizontal ou, en d'autres termes, de la relation de notre être fini avec l'Infini qu'est Dieu. La verticalité est l'axe de l'espérance. Ainsi apparaît l'action qui peut toucher au passé, au présent et au futur. Elle part du temps pour traverser l'éternité et revenir au temps. Il y a donc au premier stade une angoisse sans culpabilité; au deuxième, une angoisse-culpabilité désespérée, et enfin au troisième, une angoisse-culpabilité espérante. Voilà le saut dans la foi dont parle Kierkegaard. Il s'agit, dans ce passage du deuxième au troisième stade, d'une transmutation de l'être profond, d'un changement de qualité. «Il faut pâtir au point où le saut devienne la seule issue. C'est le paradoxe de la conversion.»

Avec Kierkegaard nous sommes tenaillés par une dialectique sans synthèse. Avec lui le paradoxe aiguise sans cesse les contradictions. Dans sa dialectique extension, tension et extase, il faudrait concevoir l'extase non comme une synthèse mais bien comme une thèse.

J'écoutais, il y a quelques années, les réflexions de Mlle Green, parapsychologue de l'Université d'Oxford. Comme elle était écrasée par la conscience de sa finitude dans le cosmos! Tel Pascal elle poussait un cri d'angoisse. Je me demande si cette angoisse particulière n'est pas le propre des esprits scientifiques, des esprits torturés par le *comment*. Je n'ai jamais senti cette angoisse devant l'univers, si infini soit-il. La vastitude m'exalte au lieu de m'abattre. Mon imagination poétique n'est d'aucune façon entravée par cet infini. Bien au contraire, c'est l'infini de souffrance et de misère que je sens dans chaque homme qui me terrifie. Il s'agit d'un mystère à mes yeux beaucoup plus insondable que l'intuition d'une harmonie de tous les existants. Je ne crains pas les relations avec des êtres non conscients, quelles que soient leur puissance brute, leur immensité, leur complexité; je ne suis pas désarmé par l'image de la galaxie: je suis en extase! Mais je ne comprends rien à la misère de l'enfant qui fuit dans une rizière, chassé comme une bête. Je ne comprends rien à la conscience d'un bourreau. Je ne comprends rien à l'hypocrisie des politiciens. Voilà où je situe mon angoisse des espaces infinis.

Je découvre Kierkegaard et lutte avec lui, homme du Vendredi saint, au moment où j'essaie de ne pas m'enliser dans la nuit du mystère, au moment où j'apprivoise la lumière, où je cherche cette lumière du Tabor qui transfigure. Je me sens donc mieux armé qu'il y a quelques années. Kierkegaard, qui ignorait l'Ascension, la Transfiguration, ne pouvait pas connaître le contrepoids de la lumière. C'est ainsi qu'il s'est si peu soucié de l'injustice écrasant les autres, lui qui était de la race des sacrifiés. Comment aurait-il pu analyser, comme Marx, la dialectique des mouvements historiques? Il n'avait retenu que deux images du Christ: celle du Christ chassant les vendeurs du temple, celle du Christ mourant sur l'arbre.

J'ai choisi le *général*, dirait Kierkegaard, je suis devenu poète. Toutefois, ma conception de la poésie n'a rien à voir avec celle du Danois. «La poésie, affirmait Baudelaire, est ce qu'il y a de plus réel, c'est ce qui n'est complètement vrai que dans un autre monde.» La «poésie est le réel absolu» avait prétendu Novalis, comme il avait dit: «L'amour est le réel absolu.» Et si la poésie c'était Dieu au mont Tabor, Dieu au Jardin? Baudelaire vint avec ses tourments, parmi les soupirs, les attendrissements, les lilas, pour affirmer que la poésie n'est complètement vraie que dans un autre monde. La poésie véritable s'opposait à la poésie système, précisément à cette poésie que vomissait Kierkegaard.

Ces deux témoins de la subjectivité ont l'impression d'être des vieillards. «On dit que j'ai trente ans, écrit Baudelaire, mais si j'ai vécu trois minutes en une... n'ai-je pas vécu quatre-vingt-dix ans?» Les deux ont une peur aiguë de devenir fous. Kierkegaard s'écrie dans son *Journal*: «Merci, ô mon Dieu, de ne m'avoir pas jeté du coup dans la démence — jamais je n'ai eu tant peur.» Quant à Baudelaire: «Maintenant, j'ai toujours le vertige, et aujourd'hui, janvier 1862, j'ai subi un singulier avertissement, j'ai senti passer sur moi le vent de l'aile de l'imbécillité.» Tous deux sont des mélancoliques. Tous deux aiment les comédiens. Tous deux méprisent la politique. Tous deux oscillent entre Dieu et Satan. Tous deux sont angoissés par l'univers. Mais Kierkegaard l'est davantage parce que tout lui est inexplicable, tandis que Baudelaire, moins philosophe, est à la fois effrayé et séduit. De beaux scientifiques viendront après eux pour dire que l'expérience de la subjectivité n'est pas une aventure terrible, mais plutôt un signe de *décadence*, une caractéristique de bourgeois douillets et neurasthéniques. Quels drôles de décadents que ces hommes plongeant dans l'abîme pour nous rapporter quelques traces de cette lumière sans nom oubliée par le Christ au mont Tabor, oubliée par le Christ sortant du sépulcre, lumière qui dérive dans l'infini de l'espace depuis des siècles, touchant parfois un visage, parfois un tableau, parfois un poème, parfois une musique! Sans cette lumière, comment parler de pensée blanche? Comment sentir la gloire radicale de l'homme? Si l'homme n'est pas aussi un être de gloire, pourquoi veut-il connaître? pourquoi veut-il apaiser ceux qui souffrent? pourquoi rêve-t-il sans cesse d'un monde meilleur? Pourquoi la destruction ne serait-elle pas son seul style d'existence? Comment Kierkegaard et Teilhard de Chardin auraient-ils pu mêler leur lumière et leur mort? La vérité n'est pas la seule lumière, la vérité n'est pas la seule mort. Y aurait-il un état de gloire intrinsèque de ce qui est? Si le seul fait d'*être* était une affirmation glorieuse? Quand Fernand Léger parle de l'honneur d'être homme avec Rembrandt, ne parle-t-il pas de cette gloire de l'homme qui est véritablement un être unique en voie d'ascension et d'accomplissement? Le ton de Saint-John Perse n'est-il pas un signe de cette marée solaire qui parfois recouvre la conscience? Sans cet état de gloire, comment un Mozart serait-il concevable? Il faut donc, à la racine de ce que nous appelons l'*homme*, quelque gloire fondamentale en dialectique avec la mort envahissante qui est tantôt le *mal*, tantôt la *maladie*, tantôt le *désespoir*, tantôt l'*orgueil*. L'orgueil étant cette intuition de notre gloire sans la prise de conscience de notre culpabilité.

Le stade éthique correspond pour moi à un état de non-tension où l'homme confie sa subjectivité au *code*, s'y abandonne en toute quiétude plutôt que de s'engager dans la voie du doute, dans la crise de conscience où la tension est entièrement vécue, où le risque est total. Il s'agit là d'une absence d'intériorité, d'une attitude de mort-vivant. Toutes les idéologies ont tendance à exiger cette soumission. C'est ainsi qu'elles deviennent le plus souvent aliénantes. L'idéologie est une prétention à la prévisibilité totale, en voulant tout expliquer et même tout juger. Comment les marxistes-léninistes pourraient-ils exiger la soumission au parti, s'ils ne prétendaient pas avoir prévu toutes les conséquences de leurs décisions?

L'acte d'amour me semble le seul acte de synthèse. Dans le marxisme, la tension profonde à la source de l'homme individuel est transposée dans la lutte des classes. On croit libérer l'homme subjectif en projetant son conflit objectivement dans une lutte de classes d'hommes qui devraient se haïr. Qu'arrive-t-il après ce transfert temporaire d'énergies?

Quand la chrétienté s'effondre, que deviennent les chrétiens qui n'ont vécu que de soumission, ayant pris les fausses idoles du code pour des valeurs chrétiennes? Freud n'est peut-être pas inutile, même pour les esprits religieux.

Le mythe du chevalier... Don Juan est l'antithèse du courtois, du passionné exemplaire. C'est l'effort de l'esprit pour n'être que sensualité là où Tristan, par exemple, crie: «Vienne donc la mort!», au moment où «dans leurs beaux corps frémissaient le désir et la vie.» Toute la force de Don Juan est dans la concentration de sa sensualité qui devient son principe d'existence. De là son pouvoir de séduction. Il est la sensualité en acte. Il est la spontanéité même de la sensualité. Il voit: il aime. On le voit: on l'aime.

Valmont, dans *Les Liaisons dangereuses*, est un séducteur aux antipodes de Don Juan. Celui-ci désire jouir, accomplir son désir. Il se situe hors de l'éthique. Mais ce qui intéresse Valmont, ce n'est pas tant la jouissance que la conscience de séduire. Il n'a qu'une passion: la lucidité qu'il a de ses moyens de séduction. C'est un séducteur au second degré. Plus l'obstacle sera difficile, plus il sera dans la sphère de la morale, plus la tactique de Valmont sera sa jouissance. Valmont est un cérébral;

Don Juan, un sensuel. Il y a plus de démoniaque dans Valmont, parce qu'il y a davantage d'esprit. Chez Don Juan l'esprit se fait sensualité. Chez Valmont l'esprit se fait séduction. Plus la femme convoitée sera fidèle, plus il sera génial dans l'organisation de sa séduction. Valmont me semble inconcevable en musique, tandis que Don Juan, brûlé de sensualité, n'est imaginable, sur le plan de l'art, que tel un être musical. C'est ce que Mozart a parfaitement compris.

La différence entre Valmont et Sade? C'est que Sade traque Dieu jusqu'à la destruction, pour en quelque sorte devenir Dieu lui-même. Tandis que Valmont ne peut être qu'un instrument de Satan, Sade se fait Satan.

Chez Sade, la volonté n'est satisfaite que si elle réduit l'autre au néant. Chez O (de l'*Histoire d'O*), par exemple, la volonté appelle l'anéantissement. Chez les deux la volonté n'est atteinte qu'à travers la sexualité: ce centre où la jouissance est la plus concentrée, et donc la plus intense, même si souvent, en définitive, cette sexualité n'est considérée que comme un symbole. (Je parle ici de Sade et d'O, mais il s'agit en fait moins des œuvres que de l'*idée* que je puis avoir de ces deux attitudes fondamentales.) On pourrait tenter une saisie de Sade en disant qu'il est une volonté de puissance qui ne peut s'affirmer que par la dégradation de l'autre à travers le symbole de ce qu'il a de plus sublime: sa puissance d'amour. O serait une volonté anéantie par l'autre à travers le symbole le plus sublime en elle. Il y a donc dans l'obsession de Sade une haine de la vie qui n'est comblée que par la destruction de l'autre. On pourrait peut-être aller plus loin en disant: une haine de Dieu n'étant assouvie que dans l'anéantissement d'un autre à travers ce qu'il a de plus sublime: son pouvoir d'aimer Dieu. Et le contraire chez O. Il y a dans les deux cas une incapacité de frapper Dieu directement. Sade s'efforce de le rejoindre à travers l'autre, son semblable; O, à travers soi-même.

O est une désespérance qui se cherche; Sade, une désespérance qui se fuit. Dans le projet sadien, la volonté de puissance se situe face à Dieu; chez Nietzsche, après la mort de Dieu. Le problème de Sade, c'est le problème du fini voulant épuiser l'Infini. Le problème d'O est l'anéantissement de Dieu à travers sa propre finitude. Sade désespère de ne pouvoir détruire Dieu à travers le fini; O, de ne pouvoir l'annihiler en soi. Sade sait que lui, être fini, ne peut exterminer l'Infini, mais s'il persiste dans son effort, c'est qu'au fond il fuit la désespérance qu'il aurait en cessant de le vouloir.

Baudelaire affirmait que la poésie ne peut pas avoir pour objet la vérité. Kierkegaard prétend que le Mal ne présente aucun intérêt esthétique. Ce qui signifie, bien entendu, que l'expression du Mal ne peut pas être la fin d'une œuvre d'art. Toutefois, sans faute, sans culpabilité, il n'y a plus de héros tragique. Si Phèdre n'avait pas de remords, il n'y aurait pas de tragédie. C'est la tension entre sa passion et sa culpabilité qui la rend tragique. Elle n'est pas entièrement coupable. Dès qu'elle se repent, la tragédie cesse. Malraux a dit justement, dans *La Métamorphose des dieux*:

> Mais la tragédie n'est pas la soumission au tragique, elle en est la conquête [...].

Le rapport que j'ai avec une victime de Buchenwald est un élément de ma vérité, de ma subjectivité; d'où culpabilité. L'absence de culpabilité ne pourrait se concevoir que si j'étais entièrement déterminé ou absolument isolé.

Il m'arrivait souvent, en lisant Kierkegaard, de prendre ma plume et de développer une intuition qu'en fait je retrouverais plus loin dans l'œuvre même du Danois. Ce qui implique presque un pouvoir, dès que nous sommes engagés dans une œuvre, de la construire soi-même avec l'auteur.

Kant écrit:

> L'objectivité de la loi est impuissante à me faire savoir si moi-même, quand j'agis, je suis bon ou mauvais. Je ne peux connaître que la légalité de mes actes, jamais la moralité de mes intentions.

Il est regrettable que les juges ne méditent pas gravement cette remarque du philosophe. Et surtout, comment peut-on continuer de prôner la peine de mort? Il n'y a qu'un esprit primaire, ou un être dont l'affectivité est terrorisée par son surmoi, qui puisse sentir le besoin d'une vengeance rivalisant avec le crime. Quand un pasteur évangéliste archiconnu demande que soit castré celui qui a violé, sur quelle violence intérieure occultée ne fonde-t-il pas son souhait? Le prédicateur du Christ dans la société d'abondance aurait peut-être besoin d'une analyse. Je me méfie autant des maniaques de l'ordre que de ceux de l'anarchie. Il y a chez les deux types d'esprit une attitude primaire, c'est-à-dire soumise à ses pulsions, prétendant se justifier par des concepts et des comportements moralisateurs. Certes, les petits colonels sont les plus grands cyniques. Ils font payer aux autres le poids insupportable de leur propre conscience malade, de leur propre mort. Tourmenteur, tortionnaire, voilà une profession achalandée de notre grande civilisation! Les États-Unis exportent leurs experts.

Comment expliquer le recours insensé aux pires formes de torture? Pourquoi des hommes emprisonnés, au Brésil, au Viêt-nam du Sud, au Chili et dans combien de pays, doivent-ils être de plus torturés, s'ils sont déjà incapables d'agir, donc impuissants? L'aveu d'une information? La plupart des torturés n'ont pas vraiment d'informations. La nécessité de dominer par la terreur? Sans doute. Mais il faut peut-être se demander si la conscience de ceux qui déifient l'Ordre n'est pas une fosse d'ordures infinie. Rien n'est plus troublant, par exemple, que l'acharnement que mettent des généraux chrétiens, qui se prétendent purs, à massacrer des marxistes. Comme s'ils descendaient directement des inquisiteurs espagnols. Comme s'ils s'étaient imprégné l'esprit du *Manuel des inquisiteurs* de Nicolo Eymeric. Ne peut avilir que celui qui est avili. Puisqu'on retrouve cette conscience de l'Ordre à gauche comme à droite, il faut peut-être affirmer qu'il s'agit là d'une maladie de l'homme: l'homme ayant peur des autres et se méprisant lui-même.

L'amour du couple échappe toujours à l'éthique, sinon à la vérité de l'amour. Or l'Église a établi sa conception du mariage sur la famille, institution. En pratique, elle a toujours accordé une prépondérance à la morale sur l'amour. Ce qui veut presque dire qu'elle défend des valeurs qui sont supérieures à l'amour entre deux êtres humains: la préservation d'une institution, par exemple. Elle se comporte comme un État. Et si l'institution est supérieure à l'amour authentique, à la vie, que signifie le message du Christ?

Être en état d'amour, c'est assumer l'état d'expansion, tel le noyau originel de l'univers qui explose. Là est son mouvement naturel. Chagall a compris cette dimension cosmique du couple, lorsqu'il le représente enlacé sur un nuage parcourant la terre. L'amour est pour moi la seule énergie de l'existant et, paradoxe, l'aberration suprême, le seul mouvement dialectique de l'histoire. Je crois que toutes les véritables synthèses qui se sont accomplies l'ont été par l'action de l'amour. Si la haine, la compétition, l'envie projettent un état permanent de l'histoire — à ce point de vue Marx avait raison —, l'amour est le saut qui permet à l'humanité d'avancer. Il n'y aurait pas de pensée marxienne sans amour. Mais ce mouvement d'amour est si éphémère dans l'histoire qu'il se transmue en un refus d'amour total. La haine apparaît avec les limites, se définit par les limites que l'homme impose à son expansion. À l'origine, la pensée marxiste part d'un mouvement d'amour, mais dès que le mouvement veut s'imposer par la force, dès qu'il se choisit réductible à une classe, il dégénère. Ce qui rend impossible un amour prolongé dans l'histoire c'est que la moindre révolution implique une dimension négative: elle se fait le plupart du temps *contre* quelque chose ou quelqu'un, si ce n'est le roi ou l'impérialisme, c'est contre la bourgeoisie ou une race. Ce qui fera dire à Joseph Delteil: «Il n'y a pas de révolution juste, il n'y a pas de violence juste.» C'est pourquoi la révolution de François d'Assise m'était apparue comme la seule révolution possible dans ma «Lettre aux mystiques de la violence». Il voulait changer le monde, changer l'homme, mais en se mettant au service du plus petit et en dénonçant les puissants et leur richesse. Napoléon, qui avait misé sur la puissance, a dit lucidement:

Il n'y a que deux puissances au monde, le sabre et l'esprit; à la longue, le sabre est toujours vaincu par l'esprit.

Le doute ne peut naître que d'un drame profond, d'une expérience, c'est-à-dire de la passion de l'*essai* prolongé. C'est pourquoi il me semble que le doute systématique n'a aucune racine. Le doute n'est pas d'abord la détermination d'une tension, mais sa conséquence. Le doute systématique, s'il devient un principe général de tensions n'ayant pas été vécues, ne peut être qu'imaginaire. Il s'agit donc d'une manifestation de l'instinct d'anéantissement. Le scepticisme est un refus de l'existence.

Pour Kierkegaard, l'art est une concentration de l'extensif dans un instant d'intensité. Pour moi c'est un éclair d'éternité. Qu'on pense à la longue et obscure analyse où devrait s'engager un clinicien pour évoquer ce que Rembrandt nous donne dans un autoportrait, ou ce que Mozart révèle dans quelques mesures du *Quintette en sol mineur*. L'œuvre d'art est une intensité fulgurante qui échappe au mouvement du temps dans ce qu'elle a de spécifique. Car le propre même de l'œuvre musicale se développant dans le temps est de briser ce temps et de proposer une autre durée.

Lorsque Marx me considère comme un être déterminé, il a raison, puisque ma liberté et son histoire lui échappent. Et peut-être les moments de liberté intense ne peuvent-ils pas être saisis dans le temps. En ce sens, le poème est le moment historique d'un instant de liberté.

Rien ne me fait plus penser à Kierkegaard que les pages déchirantes du *Quintette en ut mineur (op. 163)* de Schubert. Quel être écorché! Il lutte avec le désespoir et la mort. C'est la descente aux enfers pour retrouver Eurydice. On ne peut rien pour lui, si ce n'est subir avec lui. Mon Schubert, cet autre *poverello*. Comme Tristan, il meurt d'amour.

Pour Kierkegaard, la véritable dialectique est celle qui nous accule à l'absurde. Abraham ne sait pas si son acte est un crime, une irruption de démence ou un véritable sacrifice que lui a commandé la Voix. Il marche vers la montagne sous la contrainte de l'absurde. Il doit cheminer avec la certitude que Dieu va s'interposer nécessairement. Kierkegaard s'efforce tellement de cerner l'essence de la foi qu'il la dissocie de la charité. Si l'on distingue, chez Abraham, foi et charité, tout devient monstrueux et absurde. La position personnelle du Danois est de vivre sans cesse dans l'angoisse, le couteau levé sur lui-même, sans *croire* que le miracle va se produire.

Kierkegaard a la certitude qu'il ne peut pas être exaucé, que cette certitude même est une impossibilité. La foi n'apparaît qu'avec la certitude que l'impossibilité est possible.

La culture selon Kierkegaard: «J'ai cru que c'était le cycle que parcourait l'individu pour parvenir à la connaissance de lui-même.»

L'angoisse du bien...

Le romantisme de Kierkegaard, comme celui de Baudelaire, détruit ce qu'il a de masque pour aller à l'essentiel. Il est plus purificateur que destructeur. Dans le véritable romantisme de Schubert ou de Schumann (le dernier lied de *Amour et vie de femme*) on atteint le désespoir. Le romantique n'est pas cet élégant dandy portant une mante noire. Il ne fréquente pas les salons. S'il désespère à jamais, il se pend au réverbère comme Nerval. Ce sont les romantiques désespérés qui vivront la mort de Dieu. Quand Nietzsche viendra, il n'aura plus qu'à l'enterrer. Certains systèmes philosophiques n'étaient que des façades derrière lesquelles se préparait la véritable mise à mort de Dieu. Kierkegaard l'avait bien compris lorsqu'il s'opposa à Hegel.

J'avais connu un homme, dit le Danois, qui aurait accepté avec la plus profonde sérénité que Dieu lui eût sacrifié vingt-cinq mille hommes. Quelle certitude de son poids ne faut-il pas avoir? Ne s'agit-il pas là d'une parole au sujet de Dieu inspirée par Lucifer? Kierkegaard a parlé de l'«escroc du sacré». Il disait de plus: «Comme le divin, le démoniaque a la propriété de faire entrer l'individu en un rapport absolu avec lui. Telle est son analogie avec le paradoxe, sa contrepartie offrant par suite une certaine ressemblance capable de faire illusion.» Le démoniaque (paranoïaque) est la séduction même, le caméléon par excellence. Il devient ce que je suis en m'objectivant. C'est une sorte de soi-même devenu objet. Je ne peux qu'être séduit par mon image. Plus, il m'idéalise, il me propose l'image que je voudrais être. Il me présente mes aspirations comme étant siennes. C'est pourquoi il ne s'attaque qu'aux hommes sincères. Alors il peut jouer des sentiments comme sur un clavier. Mais il est incapable d'être conséquent, d'être continu. S'il doit être fidèle à son propre jeu, jeu qui se retourne contre lui, il s'effondre. Hors du mensonge, il ne peut que me mettre en état d'accusation, ne pouvant s'auto-accuser. Le mensonge continue. Il m'attribue ses mensonges. Il me traque afin que je cède à la panique. Incapable de vivre une culpabilité, il m'en charge les épaules. Il incarnait mes aspirations, j'incarne son effondrement. C'est là sa dernière tentative. Si je résiste, je suis sauvé. J'échappe à son pouvoir de destruction. Il me suçait mon bien et m'injectait son mal.

Le railleur est toujours sûr de la complicité des autres. Il utilise la voie royale de la conquête. Comme il s'attaque à des évidences, il ne peut pas se tromper.

«Plus il y a d'angoisse, disait Kierkegaard, plus il y a de sensualité.» Qu'on pense à l'exacerbation de l'union sexuelle.

Quand on vit à certaine profondeur, le déplacement dans l'espace a peu d'importance. De toute façon, en profondeur tout semble infini.

L'angoisse est proportionnelle à la gravité et aux conséquences de notre libre arbitre. La véritable angoisse ne peut être vécue que par celui qui se situe en relation avec l'Absolu, car alors ses actes ont des conséquences infinies. C'est pourquoi la foi n'apaise pas l'esprit, elle lui donne une espérance au moment où il s'achoppe à l'absurde. Dans une situation où il ne peut pas y avoir de réponse, l'angoisse ne peut être que relative.

Ce qui passionne l'Occidental, c'est la grande aventure des questions (Denis de Rougemont?). Il se méfie beaucoup plus des réponses. Tandis que l'Oriental ne vit que de la réponse. Sans la passion des questions, il n'y aurait pas eu de civilisation occidentale. Comme les réponses sont généralement provisoires, elles ne peuvent que nous pousser vers d'incessantes questions. Plus l'écart entre une question et une réponse diminue, plus l'angoisse augmente. Accepter la réponse semble à l'Occidental presque toujours une mise au tombeau. C'est pourquoi le tragique est présent en Occident. Prométhée agit sans cesse. La chrétienté est une sorte d'engourdissement, de torpeur dans la réponse. Avec la paralysie vient la sécheresse, la dureté du cœur, la légalité inébranlable. Ce qui rend l'homme vivant, c'est la tension continuelle entre l'interrogation et la prise de conscience de la fragilité de la réponse. En état dialectique on ne peut être qu'indulgent. L'être en marche l'est toujours. Ce qui a rendu si implacable le nazisme, c'est le caractère fanatique, irréductible de sa réponse. Avec la certitude superbe, le tragique disparaît, aussi bien dire l'humain. D'une certaine façon, l'aventure de l'Occident est en tension continuelle avec ce moment absolu que fut la Révélation. L'apparition du communisme est sans doute l'apparition d'une nouvelle réponse. Mais déjà, dans la pensée marxiste sincère, apparaît la nouvelle tension question-réponse. Le cycle continue. Néanmoins, dans le Christ la réponse est peut-être si entière, si absolue, que la question n'en pourra jamais venir à bout. C'est ainsi que réponse absolue, le Christ est également question incessante. Dans quelques hommes la tension question-réponse toujours persiste. Loin d'être une réponse globalisante et rationnelle comme le système hégélien, le Christ est une réponse entière et vivante. Et sa réponse s'enracine dans l'éternité, dans le mystère. Comme la question est par définition temporelle, la tension ne peut pas diminuer. On ne peut que la refuser.

L'espérance est un saut qualitatif dans l'instant face au désespoir. La foi, un saut face à l'absurde. La charité, un saut face au refus. C'est le *saut* par excellence. Il n'est possible que grâce à l'espérance et à la foi. Noé, le père de l'espérance, Abraham, le père de la foi, le Christ, la charité. Toute pensée de Kierkegaard est en fait axée plus sur la foi que sur la charité. Sa question fondamentale est en quelque sorte pré-chrétienne, hébraïque. Celle de Nietzsche sera grecque. Ainsi Dieu disparaît.

Le «système», par définition, est une réponse qui se veut définitive. Hegel ne s'est-il pas efforcé de mettre l'univers et Dieu dans l'ordinateur de son esprit? Quand *Parti pris* fondait son refus de dialogue sur l'efficacité de sa praxis, il posait un système en a priori. Le système se veut une preuve totale. La question va cherchant la conviction. Le système veut entraîner cette conviction par des preuves. Le dévot a toujours des preuves à la bouche. Mais où est sa certitude? Comment est-il tourmenté par sa conviction? Comment le pousse-t-elle à l'action? Si le dévot est si caricaturable, c'est qu'il porte ses preuves comme un blason. Toute sa certitude est *hors* de lui, dans les institutions. C'est pourquoi il est si facilement inquisiteur. Ce dévot se retrouve partout, dans les sphères du politique, du judiciaire, dans le journalisme, etc. Et il y avait tant de dévots au Québec, que nous n'avions pas de conviction. Nous vivions hors de nous-mêmes. Nous étions les rouages bien huilés d'une chrétienté.

Socrate est l'homme de la question. Toute sa maïeutique consiste à mettre en doute les réponses.

Qu'exige le pari de Pascal? Il me demande de faire un choix entre le probable et l'improbable, mais jamais il ne tend à prouver l'un et l'autre. Il veut me convaincre que je n'ai rien à perdre en choisissant la probabilité du probable, puisque ma raison n'en sait rien. Il me demande de faire un choix raisonnable sans aucun appui de la raison, c'est-à-dire d'adopter la meilleure hypothèse. La pari de Pascal néglige-t-il la gravité du choix? La probabilité peut-elle être une détermination assez forte du choix véritable? La liberté a horreur de la probabilité. Elle préfère l'absurde ou le paradoxe. Si j'ai la foi, le pari est inutile; si je ne l'ai pas, je suis incapable de jouer ma liberté à pile ou face. Le pari, tout au plus, pourrait me mettre en état de doute. Choisir l'existence probable de Dieu n'est pas entrer en contact avec Dieu, mais se mettre en état de disponibilité et de recherche. Pourrais-je embrasser l'hypothèse de la probabilité si je n'étais déjà touché?

Toute la structure de la société apparemment repose sur des relations secondaires. Toutefois, s'il n'y avait pas au secret des cœurs de relations primaires, le monde s'écroulerait. Nul ne pourrait plus respirer. L'homme doit toujours penser dans une situation infinie, il doit être en situation infinie. Plus nous nous intériorisons, plus la société nous pousse à l'*excentration*. La relation secondaire ne peut que nous aliéner. Il n'y a plus qu'un rapport d'objet à objet. C'est l'objet à la périphérie de ma subjectivité qui est seul valorisé. Je vais en état de constant déséquilibre. Le seul contrepoids possible est le retour vers le noyau de ma subjectivité. Sinon, je suis non seulement un objet pour les autres, énucléé, mais je le deviens pour moi. La société se meurt d'être composée d'hommes qui sont à l'extérieur d'eux-mêmes.

Comme le proclame un message publicitaire: les X prennent la vie à la légère, sauf lorsqu'il est question de l'achat d'une voiture.

La pensée véritable doit être une manifestation de toute la psyché. Intuition, imagination, raison: voilà les chemins de la pensée entière. Elle est éminemment subjective. Elle est énergie, mouvement. C'est pourquoi elle n'est communicable qu'indirectement. Je ne cherche pas de maîtres à raisonner, mais bien des maîtres à penser, à vivre.

Contrairement à Socrate, le Christ ne sourit pas. Sans doute parce qu'étant le sujet par excellence dans l'instant il ne cache rien. Socrate sourit parce qu'il ne se dévoile pas. Il conduit l'autre à l'absurde. Il parle comme s'il ne savait pas, comme s'il cherchait avec le disciple. Il sourit parce qu'il sait qu'il va acheminer l'autre à la négation de ce qu'il vient de dire. Le Christ *est*. Socrate met son disciple en face du néant, le Christ en face de l'adoration. Socrate s'adresse à son intelligence. Le Christ ne déduit pas, ne prouve pas, il commande: «Lève-toi!» Le Christ attend de l'autre un acte de liberté. Socrate est en état dialectique. Il est en devenir. Il a le temps de sourire. Le Christ est l'instant, il se manifeste entièrement dans cet instant.

L'amour est la plus haute passion possible de la subjectivité. La charité est la subjectivité la plus dense. L'amour est la limite de ma liberté possible. La charité est l'infini de ma liberté réelle.

La tendresse est à l'esprit ce qu'est la sensualité au corps. Qu'il faut peu de chose pour que la tendresse s'englue dans la sensualité! Qu'il est difficile de maintenir un mouvement de l'esprit!

La sagesse laisse naître le sourire. L'amour souffre. Le sage souvent marche vers lui-même. «Connais-toi toi-même!» Le saint est en expansion, comme l'univers.

Kierkegaard dit à l'homme: laissez l'histoire mondiale à Dieu, c'est son travail; Marx demande à l'homme de prendre l'histoire en main. En ceci Marx est plus chrétien; car il n'y a pas d'homme authentique sans un sentiment de solidarité, sans une prise de conscience de sa responsabilité. Même Dieu ne peut que passer par la liberté de l'homme pour le transformer. On ne peut pas aimer l'homme sans travailler de quelque façon à le transformer, à transformer le monde où il vit. Se retirer en soi-même, laisser s'agiter les hommes est le propre des sages, non des chrétiens.

Le philosophe danois prépare en quelque sorte les hommes à vivre hors d'une chrétienté. Il les fait entrer en eux-mêmes. Il les prédispose à la dialectique du qualitatif.

Rien n'a dû agacer autant Kierkegaard que le «Devenez semblables à ces petits». Là où il veut être chrétien dans le martyre, dans une tension insupportable avec l'Absolu, il se voit répliquer de devenir simple et innocent comme un enfant. C'est le paradoxe ultime qu'il ne peut accepter. Toute son existence est un pari pour la tourmente, pour la gravité qui devrait nous anéantir. Or que devient le paradoxe absolu pour l'enfant? Kierkegaard se laisse arrêter par un paradoxe relatif après avoir montré la nécessité d'être en relation avec le paradoxe absolu. Sans doute que toutes ses pulsions se heurtaient à ce paradoxe relatif. Et là, il trébuche. Son inconscient domine sa dialectique. Il ne pouvait pas être à l'abri de tout. Rien n'est plus bouleversant que cette incursion de l'inconscient dans la démarche dialectique d'un si grand esprit.

«Qu'il puisse arriver à l'innocent de souffrir en ce bas monde n'est pas du tout absolument paradoxal, mais humoristique.» Comme Dostoïevski aurait hurlé d'entendre ces mots du Danois! Pour lui cette souffrance injuste de l'innocent est précisément *le* paradoxe, le plus grand obstacle à la foi, la torture d'Ivan. Ce qui éloigne Dostoïevski de Kierkegaard, c'est que le romancier est un intuitif, tandis que Kierkegaard, bien qu'il s'en défende, est un intellectuel: il approche le monde avec son intelligence, Dostoïevski le scrute avec son affectivité, son intuition et sa sensibilité. Mais chacun va au bout de sa démarche jusqu'à l'absurde. Pour Kierkegaard, il n'y a pas d'être vraiment innocent. Ne sommes-nous pas tous marqués par le péché originel? Il ne peut pas y avoir d'injustice absolue. Même l'enfant n'est pas à l'abri.

Si la conscience n'est pas continue, l'inconscient l'est. C'est lui qui donne la continuité à la subjectivité. C'est pourquoi il ne peut pas y avoir de brisure dans l'existence d'un homme. Sans l'inconscient la subjectivité n'aurait pas de continuité, sans la conscience elle ne pourrait pas se saisir comme existante, comme unique, comme située.

L'éternité est toujours une détermination de l'acte humain. Il ne dépend pas de l'homme que ses actes n'aient pas de dimension éternelle. Dans une perspective si écrasante, la simplicité devient la contrepartie de l'angoisse, à travers une forme dialogique de relation avec Dieu. Qu'est-ce que la simplicité, sinon une humilité aimante, une humilité lumineuse, une humilité confiante? Sans elle, il n'y a pas de joie profonde possible. La simplicité est en état dialectique avec l'angoisse. Et la joie est une synthèse éphémère où la tension est disparue. Simplicité, tendresse et joie sont autant de facettes de l'amour. Quel que soit le niveau, l'amour est le seul mouvement pouvant résorber le dialectique, d'échelon en échelon. C'est une force, une énergie radiante, qui permet de sortir de la contradiction pour marcher vers une contradiction plus subtile. Et, de niveau en niveau, l'âme s'affine. L'amour est un abîme ouvert sur le blanc. Dans le mouvement d'amour il y a suspension du néant. Voilà pourquoi l'immobilité, le recul, la perte d'énergie néantisent. Le néant m'apparaît donc comme une immobilisation de l'amour dans son mouvement. Comment ne serions-nous pas tous continuellement envahis par le néant? Comment ne serions-nous pas submergés de nostalgie, de mélancolie et d'ennui?

La joie est un don. Elle ne se laisse pas fabriquer par l'homme. Elle le pénètre avec la vivacité de l'éclair. Le plaisir est œuvre de l'homme. L'homme se fait pour lui-même producteur de plaisir. Il le choisit, le crée, et en détermine le moment. Chaque plaisir que l'homme se fait est souvent une compensation. Je parle bien entendu de la recherche du plaisir comme moyen de s'évader de soi. Qu'importent les saloperies des autres, les injustices que subissent ou me font subir les autres, je vais me rendre justice, je vais me prendre en pitié, je vais m'aimer d'autant que les coups reçus seront plus durs.

Sans l'acquisition de nouveaux signes, il n'y a pas de phénomène de régénération. Les hommes vivent avec des symboles et des signes usés. Ils s'étonnent d'être morts eux-mêmes. Or les symboles qui ne vivifient plus sont des pierres tombales. La puissance d'une culture se manifeste dans la création de nouveaux symboles.

Autant Kierkegaard peut être un dialecticien merveilleux, autant il a été un mauvais poète romantique.

«Que les contraires existent simultanément est une conception trop dialectique pour la poésie», écrit-il. Il ne pouvait pas prévoir l'apparition de Baudelaire, et plus tard du surréalisme. Est-ce que ce ne fut pas en partie le rôle de la révolution baudelairienne de rendre la poésie capable d'exprimer les contradictions intérieures, d'ébranler le principe de contradiction? La poésie devenait essentiellement subjective, elle cessait d'être le grand hymne du monde (ce que Béguin déplorera). La passion de Baudelaire était dialectique. Mais il y aura toujours des poètes dont l'œuvre est focalisée sur l'objet. Face à la contradiction, l'image moderne s'est faite contradiction. Plus on s'éloigne de la subjectivité pour exprimer l'objet, plus la dialectique inhérente à l'image a tendance à se résorber. Les œuvres alors se moulent dans un univers fabriqué par des extravertis. L'introversion dans un monde semblable ne peut être qu'une passion.

Le Danois n'aurait pas été un si parfait dialecticien pour nous prouver la nécessité du *saut*, s'il n'avait été si sceptique de nature. En dissociant foi et raison, le doute philosophique n'a plus de raison d'être. L'obstacle est supprimé. Et la motivation fut si forte chez lui qu'il s'est attaqué à cette bible de l'époque que fut le système hégélien. Ces motivations surgissaient du déchirement qu'il ressentait comme existant. C'est en cela qu'il est un penseur subjectif si puissant. Comment le système hégélien aurait-il pu ébranler la certitude du père de Kierkegaard, que lui, Sören, serait sacrifié? Un système qui ne peut répondre à notre crise existentielle la plus grave doit être démystifié. Il s'agit d'un monde *unidimensionnel* qui se présente frauduleusement comme un espace *entier*.

L'autopathie que j'ai pour moi, sujet se considérant comme mortel, devrait être le fondement de la sympathie que j'ai pour l'autre que je sais mortel.

La réduction de la phrase complexe en phrases simples ne serait-elle pas un signe de méfiance que l'homme d'aujourd'hui a envers la logique conceptuelle? Il s'est tourné vers les signes univalents dans sa recherche d'une nouvelle logique. 0-1-0-1-0. La décomposition de la phrase correspond de plus en plus à la diminution du pouvoir de concentration, à la trépidation de la vie quotidienne. Trop de mensonges sont nés d'une logique, d'une organisation de la parole qui semblaient inattaquables. La logique fut au service de systèmes cohérents qui nous étouffaient. J'ai l'impression qu'on évite aujourd'hui les engrenages du discours de façon à rendre impossibles les pièges et l'imposture. Cela relève d'une grave méfiance envers le langage, dont Valéry est un bel exemple. Nue et brève, la phrase doit retrouver le pouvoir de choc, la pureté originelle, l'intact de l'âme.

La relation à Dieu est un acte et non un concept. Il n'y a de vérité que là où il y a subjectivité. Plus qu'un penseur, Kierkegaard est un maître de l'action profonde. Il faut modifier sa façon de vivre. Les pragmatistes ne considèrent-ils pas la vérité comme une invention qui ne devient actuelle que dans l'action? De William James à Kierkegaard le chemin est peut-être plus court qu'on ne le croit. Il y a une différence qualitative.

Les philosophies dites existentialistes sont les déviations les plus spectaculaires de la pensée du Danois. L'action véritable de Kierkegaard ne peut être que silencieuse et cachée. On a pris pour un maître à penser celui qui était un maître à vivre. Et c'est sans doute dans son échec que la leçon est la plus vive. S'il nous rend sensible à l'intériorité, il a atteint son but.

La logique du marxisme poussée jusqu'au bout, c'est de libérer non la classe prolétaire mais le prolétaire en tant qu'individu, en tant qu'être personnel. C'est là qu'intervient Kierkegaard. Mais alors il se produit un glissement de concepts. Les deux dialectiques sont inconciliables. C'est que Marx voit la dialectique dans une classe contre une classe; et Kierkegaard, dans l'individu contre lui-même. Avec Marx, le prolétariat doit accéder à la Puissance; avec Kierkegaard, l'individu doit accéder à la Subjectivité, il doit devenir une valeur, contre les forces qui l'excentrent.

Voir un être jaillir comme une source... comme un chant de flûte...

Tous les jours, en me levant, je me rends à la fenêtre, cherchant le soleil pour qu'il me galvanise.

Surnaturellement (ou socialement) l'homme n'est pas que personne, il est toujours en situation de membre. Aucune dimension de l'homme n'échappe à la véritable socialité. Ceci est tellement vrai, qu'il n'y a pas de salut au sens chrétien sans le passage par l'autre, sans l'*assumation* de l'être de l'autre.

Quand l'intelligence se trompe de voie, elle n'est pas alors consciente de son erreur; mais dès que la volonté s'affaisse, toute la subjectivité est ébranlée. Car la volonté est ce par quoi ma subjectivité se met en mouvement. La tension entre ma subjectivité et ma volonté est le premier moment dialectique.

Que de fois j'ai entendu des gens dire: *je calcule*, au sens de *je pense, je crois*; n'est-ce pas un indice terrible, un signe du niveau où se situe leur *pensée*, un signe de leur préoccupation fondamentale?

L'abîme qui existe entre *Le Livre des demeures* de Thérèse d'Àvila et les déclarations d'un ministre de la

Justice pourrait nous faire douter du progrès spirituel de l'humanité. C'est tout le drame de l'Église que d'intégrer ces deux consciences. Et non seulement celles-là, mais la conscience d'un président bourreau, la conscience d'un propriétaire, la conscience d'un Noir humilié, la conscience d'un directeur de l'ITT, la conscience d'un petit politicien, la conscience d'un juge produit par la politique. C'est une gageure qui semble tellement absurde! La société communiste n'a pas à assumer ces contradictions spectaculaires et scandalisantes; elle est une société où tous les hommes idéalement sont prolétaires — j'allais écrire propriétaires. Le risque du scandale est moins fort. Il n'y a pas de doute que Dieu seul puisse prétendre assumer une absurdité ou une monstruosité si énormes, et même leur donner le nom de Corps mystique. Il faut donc beaucoup de foi en Dieu pour être membre d'une Église si compromise.

Souffrir jusqu'au tremblement du corps, au tremblement des nerfs. Le corps entre en état de vibration comme si la psyché voulait s'échapper de cette cage.

Si vous donnez de l'espoir à quelqu'un et que cet espoir échoue, indépendamment de votre volonté, alors son désespoir se retournera contre vous. Seul celui qui a l'espérance peut se payer le luxe d'une moisson d'espoirs morts.

«Agir prudemment, c'est toutefois ce qu'il y a de plus méprisable», dit Kierkegaard. Cet homme-là n'était pas canadien-français.

L'idée n'a aucun sens de la personne: elle devient destructrice dès qu'elle se croit l'Idée. Et c'est avec ces grandes idées qu'on fait les idéologies, et au nom des idéologies que l'on commet des crimes. Le désespoir de soi est moins néfaste que sa propre surestimation.

Dialectiquement le surréalisme est un nouvel esclavage. Choisissant son tyran, l'irrationnel, il se croit libre.

Socrate, avant Pascal, paria pour l'immortalité.

Il ne faut jamais perdre de vue que Franz Fanon écrivit *Les Damnés de la terre* alors qu'il était lui-même en agonie. J'accepte la critique d'un tel témoin. J'accepte de me mettre en question. J'accepte d'être moralement torturé par celui auprès duquel je ne serai qu'une ombre tant que je n'aurai pas franchi la nuit dans toute son épaisseur, cette nuit que tout témoin authentique a lui-même traversée. On ne peut jamais opposer des arguments à des cris, on ne peut que s'emmurer ou vociférer.

«Le salut ne saurait être en avant, il est en arrière, dans les vieilles choses.» Pensée de quelque almanach du Québec en 1900? Cela fut dit à Athènes à l'époque de sa splendeur.

«Il pourrait paraître étonnant que de profondes pensées se trouvent plutôt dans les écrits des poètes, que dans ceux des philosophes. La raison en est que les poètes écrivent inspirés par l'enthousiasme et la force de l'imagination» (Descartes).

Ce qu'une femme pardonne difficilement à l'homme, c'est d'être elle-même à l'extérieur de la passion de l'esprit qui s'empare de lui. Aujourd'hui la femme refuse d'être Marthe. Elle veut participer à la recherche de l'être humain par lui-même. Dans les cas de dérèglement, cela ira jusqu'à la nostalgie de l'état d'amazone, grand moment mythique du féminisme où la femme tuait son «étalon» après la fécondation. Elle parle de misogynie. Saura-t-on ce qu'il y a de rancœur, de haine, d'amertume, dans le cri de cette femme qui traite son mari de bête? Malheureusement certaines féministes tombent dans l'hystérie. On est tant marqué par les concepts marxistes d'aliénation, de lutte de classes, d'exploitation, qu'on les applique à la moindre tension entre êtres humains de sexes complémentaires.

Comme Hitler, Luther est un peu le caporal de son époque. C'est Wotan en lui qui brûle la Bulle. Il va contre le pape soutenu par les applaudissements et le déchaînement de la foule. Il n'est plus à cet instant qu'un Allemand s'opposant au Romain. Dans l'Église évangélique du Reich, on dira: «Nous confessons une foi positive au Christ, correspondant à l'esprit allemand de Luther et à une spiritualité héroïque.» Luther c'est la réduction au national de ce qui devait être universel. Passant par Hegel et Nietzsche, Hitler est l'aboutissement naturel de Luther. Dès le moment où Luther a soumis le peuple à l'autorité du prince, il a fait le premier pas vers Hitler. Et jamais le peuple allemand n'échappera à l'ordre, à l'autorité. Durant quatre siècles, il sera si bien façonné qu'il deviendra un peuple mûr pour le terrible péril du racisme. Le romantisme de la nature et la musique deviendront les compensations de l'Allemand. Depuis que son âme est seule, terriblement angoissée devant Dieu, il ne peut se passer de l'autorité. Et ce n'est que par Wotan qu'il peut parfois exploser. N'oublions pas que Luther se coupa de l'humanisme européen d'un Érasme, et qu'alors la culture allemande entra d'une certaine façon en serre nationale. C'est pourquoi, afin de comprendre l'âme allemande, il faut remonter au moins à Luther. Celui-ci, en se fermant à l'humanisme, injecta à l'Allemagne sa propre maladie: l'insécurité secrète devant l'écroulement de l'autorité du pape, dont il était responsable, et la nécessité de lui substituer l'autorité du prince. Il donna ainsi à l'Allemagne une religion d'État, et retira tout médiateur entre Dieu et l'homme, pour le plonger dans l'angoisse. L'autorité du prince équilibrait l'insécurité de l'Allemand. De là à prêcher devant les princes le massacre des paysans qui s'étaient soulevés, il n'y avait qu'un pas. Luther s'y est engagé à fond, avec toute la virulence d'un orgueil paranoïaque et l'excès d'une certaine démence.

Il est triste que ces deux maîtres de l'intériorité que furent Kierkegaard et Maine de Biran, au début du XIXe siècle, aient été, dans leur conception de l'histoire, des réactionnaires et des royalistes. Kierkegaard, par exemple, a été si attentif à protéger l'*unique*, qu'il ne pouvait que s'élever contre les idéologies qui se fondaient sur l'être social. L'heure de la synthèse n'était pas venue. Il ne pouvait être question de pensée globale. Il ne pouvait concevoir l'homme comme un être à la fois unique et social par essence. Or la volonté d'intériorisation correspond à l'unicité; la volonté d'expression à la socialité. Et l'être subjectif est en mouvement, tendu entre les deux forces. L'homme reçoit, intériorise et exprime. Par définition, il ne peut être qu'un individu en relation. La relation est même sa téléologie ultime, puisque dans une perspective chrétienne l'homme serait éternellement en acte dans sa relation avec Dieu et avec les autres. Sans l'unicité irréductible, la socialité n'a pas de noyau, n'a pas de support. Il ne s'agit pas de relation, mais de lien, d'esclavage, d'exploitation de l'homme par l'homme.

La sociabilité est parfois le masque de la réelle socialité. Elle donne à l'homme l'illusion d'être un individu social, quand, en fait, il n'est qu'un être grégaire, une unité du troupeau. C'est pourquoi il y a aussi peu d'individus vraiment sociaux, c'est-à-dire en relation vivante avec chaque homme considéré dans son unicité, qu'il y a d'êtres personnels. La sociabilité est trop souvent un facteur d'anéantissement dans l'immédiat. Comment ne serait-elle pas respectée par les hommes qui vivent dans l'immédiat: députés, cadres d'une grande entreprise, publicitaires, femmes du monde. Elle n'est plus qu'une détermination du plaisir facile, de la fuite totale. Tandis que l'être réellement social a horreur de l'hypocrisie et du gaspillage de la relation interhumaine. En ce sens, certains contemplatifs sont des êtres dont la socialité est parfaitement assumée. Ils mettent toute la densité de leur esprit en relation avec l'Absolu, au service des hommes concrets.

«[...] veux-tu, dit Kierkegaard, qu'un autre, ou d'autres soient éprouvés de tous les tourments possibles afin d'avoir, toi, une existence sensuellement heureuse? ou tiens-tu toi-même à être sacrifié pour d'autres?» Il n'y a pas d'échappatoire possible. On exploite ou on est exploité. Le Danois nous pose la question au plus intime de notre conscience. Marx, quant à lui, s'est mis du côté des hommes qui vivaient en état d'inhumanité, les opprimés, les plus faibles. Il ne faut jamais perdre de vue l'orientation de la générosité de Marx. Il peut se tromper sur les moyens, mais non sur la fin. Celui qui se met du côté de l'exploité ne peut pas se tromper. Marx a donc raison de dire que généralement la liberté a été un privilège de l'égoïsme du plus puissant ou, selon l'expression de Kierkegaard, le privilège de mettre les tourments des autres au service de sa propre jouissance. La différence entre Marx et Kierkegaard est que Marx ne croit pas que l'être subjectif puisse sortir de son égoïsme et se sacrifier. Il renverse le mouvement et dit: Prenons la puissance, nous serons libres! Dire que les prolétaires accèdent à la puissance n'entraîne pas forcément qu'ils soient des hommes nouveaux. L'égoïsme ne meurt pas parce que d'autres hommes, au nom de tous, disent-ils, se sont emparés du pouvoir. Il n'y a pas eu encore de révolution profonde qui soit celle des cœurs. («Je ne suis ni royaliste, ni communiste, ni fasciste, ni même républicain, a dit Joseph Delteil. Je ne suis qu'un homme, un homme avec un cœur.») Logiquement, on pourrait croire qu'une révolution des cœurs est imminente dans une société qui est moins fondée sur l'injustice, mais peu à peu, à cause de la diversité et de l'inégalité des tâches, une injustice même passive va s'établir, d'autant plus que le nouveau système, répressif, va imposer sa vision de la société et de l'homme. L'État s'imposera comme la seule autorité, le seul juge de ce qui est juste ou non, et par conséquent comme le seul producteur de valeurs, le seul maître de l'avenir.

Qui est le plus ouvert: celui qui cherche paisiblement quelque vérité, ou celui qui pense faux mais construit un système génial?

Je souffre davantage d'être en devenir, de n'être pas totalement ce que je suis, que d'être ce que je suis.

En me donnant à la poésie, n'ai-je pas accentué la rupture entre l'Infini et le fini? N'y a-t-il pas toujours certain désespoir à la racine de l'acte créateur? N'est-ce pas une envolée vers l'inépuisable où l'on retombe dans les ronces? Le grand juriste américain, Oliver Wendell Holmes, âgé de quatre-vingt-dix ans, a trouvé l'expression juste: «Nous visons l'Infini, et quand notre flèche retombe à terre, elle est en flammes.» Tout créateur, cherchant l'esprit, n'est-il pas l'un de ces êtres dont parle Stephen Spender:

> Nés du soleil, ils ont voyagé un peu de temps
> vers le soleil,
> Et leur passage a laissé dans l'air lumineux
> le signe de leur honneur.

1964-1965

Il fait si froid si loin de la femme au fond rose
Pierre Jean JOUVE

Un jour que Victor Hugo était déchiré par sa sexualité inassouvissable et sa passion de l'«autre chose», il confia à sa maîtresse: «Dans l'éternité nous connaîtrons la source de notre soif.» Mot admirable et lucide. Plus la passion de l'infini est profonde, plus la femme devient la séductrice qui attire à elle cette soif de l'éternité. Plus je fais l'amour, plus je suis embrasé, jamais assouvi. Rien ne me tourmente davantage que d'être loin de ma femme. Je trouve insupportable la solitude du corps, c'est-à-dire l'impossibilité de se mouler à un autre corps pour se rassurer. Il est pénible d'avoir des mains qui n'ont pas de destination, de lieu, de pôle permettant d'établir un courant. La main qui caresse est un mouvement hors de la nuit. Mais la mort est aussi présente dans la caresse que dans la solitude.

Il subsiste en vous toujours un petit peu de curiosité, de réserve pour le côté du derrière. On se dit qu'il ne nous apprendra plus rien, le derrière, qu'on a plus une minute à perdre à son sujet, et puis on recommence encore une fois cependant rien que pour en avoir le cœur net, qu'il est bien vide, et on apprend tout de même quelque chose de neuf à son égard et ça suffit pour vous remettre en train d'optimisme.

Cette observation de Céline, dans son *Voyage au bout de la nuit*, me semble d'une telle évidence! Je me suis parfois surpris à envier des hommes attirant les femmes comme une flamme. À ce sujet, je suis bien protégé par ma timidité naturelle qui me donne presque un masque glacial.

Il suffit qu'une femme ait les yeux sombres et le corps épanoui pour que son dard me traverse la chair. Cependant, il faut d'abord que j'aime ses yeux. Sans cela, je ne suis pas relié vraiment, mais voyeur. Je n'aime donc pas toutes les femmes. Je suis surtout magnétisé par les femmes sombres qui ont même quelque chose de triste, comme si toujours la nuit m'aimantait, tant je suis sous la domination du jour. Je comprends bien Baudelaire ou Jouve. Quand je pense aux femmes qui me fascinent dans les romans, je suis immédiatement frappé par les héroïnes de Dostoïevski que j'ai découvertes à dix-neuf ans. Ce type de femme s'impose. Je pense à Justine de Durrell, à Catherine ou à Paulina de Jouve. Il semble donc que la femme soit pour moi l'abîme où j'échappe à la contrainte du surmoi. Si j'étais plus sain, mon «anima» aurait-elle cette couleur de nuit? Je suis donc à la fois trouble et pur comme tout homme qui est sous le joug de la femme. Je suis voyeur sans l'être. Je ne me lasse jamais de dévorer des yeux un corps nu, mais la vue seule m'exaspère. C'est pourquoi le *striptease* ne m'intéresse pas réellement. Je refuse de me mettre en mouvement, d'être exacerbé en sachant, au départ, que je me retrouverai seul. Je suis déjà assez aux prises avec mon démon. Il a suffi un soir qu'une femme jolie me serre la main avec affection pour que je sois troublé durant quelques semaines. Je suis donc très vulnérable. En ce sens la fidélité est une passion. Elle change la nature du mouvement spontané qui est d'embrasser l'infini. Elle propose l'être unique comme espace infini. Je suis d'ailleurs convaincu que l'attachement à une femme précise ouvre plus d'infini que le passage de femme en femme, car il ne peut demeurer, de ce passage, que des images vagues et irréelles. Malgré tout, on demeure attisé par un corps qui passe, parce que les métamorphoses du corps semblent en soi inépuisables. Nul ne peut comprendre s'il n'a la passion de la femme. Pensons au «voyeurisme» de Picasso, le maître des métamorphoses.

Au moment où je lisais Kierkegaard, comme je l'ai dit plus haut, je me suis intéressé au concept de *tolérance*. Je fis plusieurs lectures en ce sens afin de parvenir à une meilleure compréhension d'une notion qui, à première vue, exalte si peu, semble si médiocre. Bien entendu, il n'y a pas de passion dans la tolérance. C'est même une attitude qui n'est que le premier degré d'une relation interhumaine authentique. Je préfère tout de même la tolérance au fanatisme. S'il y a maints fanatiques, il y a peu de tolérants. La tolérance est donc une valeur dans toute société, et sur elle peuvent se fonder, en la dépassant, des attitudes plus humaines et plus profondes. Il vaut mieux quelquefois chercher la tolérance et la proposer comme première valeur de la relation, que de parler de solidarité ou de charité. Il y a une chance que l'homme tolérant le demeure. Trop souvent l'homme qui se dit solidaire ne l'est qu'au moment d'un cataclysme, parce que sa sensibilité a été atteinte. Toute sa nature grégaire l'y pousse. Quant à la charité, c'est une valeur si précieuse, si inouïe, que Dieu lui-même s'en charge. Il n'est pas en notre pouvoir de la susciter. Impuissants, nous ne pouvons que parler de la nécessité d'avoir une attitude de tolérance dans une société où les individus se prétendent des hommes civilisés.

En 1964, j'ai rédigé un article intitulé «La lutte des langues et la dualité du langage*». Ce texte m'a demandé une recherche dans plusieurs disciplines, mais il m'aurait été impossible sans les intuitions que j'avais de ce problème. Je n'eus recours aux sciences humaines que pour aider le lecteur à prendre conscience de la nécessité de l'unilinguisme institutionnel au Québec, nécessité qui était fondée, quant à moi, sur ma propre expérience de Canadien français devenu Québécois. N'est-ce pas un drame pour mon peuple de devoir dépenser tant d'énergie à préserver sa langue, au lieu de s'engager à fond dans les questions sociales et économiques? Si la situation était normale, ce qui est le cas pour les Canadiens anglais, nous ne serions pas acculés sans cesse à ce mur de la langue, devenu, d'une certaine façon, notre mur des lamentations. Si nos politiciens avaient eu plus de courage, nous nous occuperions depuis longtemps des questions relatives à l'évolution d'une société postindustrielle. Bref, ce fut peut-être

* Je n'aurais sans doute pas écrit cet essai si Jean Marcel avait publié à cette époque son livre *Le Joual de Troie* (1973), nécessaire, démystifiant, polémique, lequel sur certains plans approfondit, clarifie, développe avec beaucoup d'intelligence et de science mon article de poète humilié et impatient.

le premier article cernant cette question sous tous ses angles. Toutefois, je n'avais pas la prétention d'apporter une solution politique, qui ne peut être qu'extrêmement délicate. Je ne m'en prenais pas aux hommes bilingues, mais au mal d'un milieu où l'ambiguïté du bilinguisme corrompt tout et en premier lieu les unilingues. C'est pour moi une question existentielle. Je trouve insupportable la quotidienneté dans un milieu qui ne m'exprime pas, qui m'est étranger. Je n'ai même pas la possibilité qu'a tout immigrant de retourner dans son pays natal. Ai-je jamais eu de véritable pays natal? (C'est la question que je me poserai dans un poème intitulé «En quelle Patrie?») Il faudrait que je remonte dans le temps, ce qui est une chose malsaine et négative. Et j'ai bien montré, dans mon article, qu'un milieu bilingue est par définition un milieu dégradant. D'une situation pourrie, il ne peut rien sortir de bon. Ici, à Montréal, quoi qu'ait dit la Commission Gendron, la situation est pourrie. Seuls les déracinés ne sont pas atteints. Le cerveau n'a aucune assurance, aucune certitude de se bien structurer, de structurer ce qu'il appréhende, parce qu'il doute de l'outil avec lequel il appréhende le monde. On ne peut tout de même pas en demeurer au doute systématique. Aucune spontanéité d'expression n'est possible. Celui qui sait deux ou trois langues, en milieu d'unilinguisme, n'est pas atteint. Il n'aura pas cette confusion perpétuelle qui est à la racine même des perceptions.

À la suite de mes sept mois de travail intense avec Kierkegaard, j'entrai dans un état légèrement dépressif. Un autre cycle commençait. Dans ces moments difficiles de silence, j'ai toujours présent à l'esprit ce mot d'André Suarès: «J'appelle ennui de n'être pas en passion.»

Durant ces périodes où rien ne me passionne, je pourrais passer des jours couché et mélancolique, irritable, infantilement impatient envers mes proches, ne trouvant que dans l'acte d'amour le véritable lien avec la vie. Que d'heures à regarder par la fenêtre, attendant quelque chose qui ne viendra pas, ne sachant pas d'ailleurs ce que j'attends! Si je ne pouvais lire quelque peu ou écouter Mozart et Bach, j'aurais l'impression d'être un mort se traînant parmi les hommes. Rien ne m'aide. C'est comme si un ciel gris me tombait dessus, me pénétrant par les yeux, par les oreilles, par tout le corps. C'est une sorte de mort dans un tunnel infini. La nuit des mystiques doit être profondément désespérante, car Dieu alors n'a pas d'existence véritable. Il n'est plus qu'une idée et, comme toute idée, il ne réconforte pas, il ne réchauffe pas.

En lisant Kierkegaard, j'avais fait un plan de lectures que je n'ai jamais pu suivre. Cela provenait de ma sempiternelle insécurité intellectuelle. Je faisais une sorte de complexe de n'avoir pas lu Spinoza, ni Kant, ni Hegel. Je revins à Descartes que j'avais lu à l'âge de vingt ans. Puis je m'enthousiasmai pour le *Fragment de préface pour le traité du vide* et pour *De la démonstration géométrique* de Pascal. Quelle puissance limpide et quelle simplicité dans ces pages où Pascal ébranle le fondement même de la philosophie et la récuse!

> Donc pour définir l'être il faudrait dire c'est, et ainsi employer le mot défini dans la définition.

Pascal croit à l'innéité de certains concepts qui sont indéfinissables. Toute philosophie doit donc accepter autant de postulats qu'il y a de concepts indéfinissables.

De là l'ambiguïté fondamentale de toute pensée. De là l'incapacité foncière de la pensée à convaincre, à faire naître l'adhésion.

> Car les définitions ne sont faites que pour désigner la chose que l'on nomme, et non pas, pour en montrer la notion.

Pour lui, seuls les noms, les concepts sont définissables, mais jamais les choses.

> Définir tous les noms qu'on impose, prouver tout, en substituant mentalement la définition à la place du fini.

Ce n'est donc pas sans raison que maint logicien a douté du pouvoir de la logique fondée sur des concepts, pour y substituer un langage de signes qui ne peuvent être que monovalents. Pascal leur avait ouvert la voie.

Alors que je lisais *Le Mal est parmi nous*, je fus frappé par l'article de Gabriel Marcel sur les techniques d'avilissement. Combien les nazis avaient été maîtres de ces techniques! Quels «ingénieurs d'âmes»! Ces techniques s'affineront encore avec le développement des sciences de l'homme. Depuis toujours ne pratiquons-nous pas des techniques d'avilissement plus ou moins poussées? Quand mes maîtres m'ont ridiculisé, enfant, au point de me traumatiser en aggravant ma timidité naturelle, en m'arrachant le peu de confiance que tout homme doit avoir en soi-même, ils pratiquaient, sans s'en rendre compte, une méthode d'avilissement. Le progrès de la technologie et une meilleure connaissance de l'homme aboutissent souvent à l'absurde. Qu'on songe aux chambres de supplice du Brésil où sont utilisés la congélation et les ultrasons, sans parler du «perroquet», etc. C'est l'un des risques que nous devons courir. Quand Jean-Paul Sartre affirme, dans un article sur la pensée de Patrice Lumumba, que «la foi chrétienne est la redevance que les jeunes Congolais paient aux Églises qui leur apprennent à lire», les faits prouvent qu'il a raison. En passant par le colonialisme, les Églises chrétiennes ont aliéné davantage le colonisé en le dépersonnalisant. Même le christianisme était devenu une technique d'avilissement. Ahmed Taleb en était bien conscient lorsqu'il a écrit depuis la prison de Fresnes: «Notre athéisme a encore ceci de particulier qu'il entre dans le cadre d'un refus de l'ensemble de notre passé et de ce qui s'y rattache, comme si la religion était la cause de siècles d'humiliations [...] et que conséquemment, l'abandon de la foi était la condition *sine qua non* de tout relèvement.»

Pensons à notre propre chrétienté, à notre héritage, d'où ne pouvaient sortir que des hommes diminués, parce qu'ils n'étaient nourris que de valeurs trop souvent sans racine dans le quotidien, saturés par les craintes multiples du réel, de la matière et de la chair. Tout semblait avoir été mis en œuvre pour nous désarmer, pour nous momifier. Jamais l'Angleterre n'aurait pu mieux réussir à nous entraîner vers la mer comme un troupeau de lemmings. En général, nous ne nous choisissons comme chefs que des inconscients prétentieux ou lâches qui continueront à courir vers la mer. Sommes-nous des suicidaires? Si Alain a pu écrire: «Vouloir que la société soit le Dieu, c'est une idée de sauvage. La société n'est qu'un moyen», que dire d'un enseignement qui a voulu que notre société soit composée d'anges? Nous sortons peut-être d'une longue période de maladie. Toutefois, quand je considère le chaos de la situation politique actuelle au Québec, il me semble que nous sommes loin d'être guéris. Il suffit d'écouter un peu certaines émissions de «ligne ouverte». Il suffit de prendre conscience qu'on peut dire à peu près n'importe quoi. Seule compte la puissance de la *gueule*. Tout est possible dès qu'un peuple se laisse hypnotiser par les forts en gueule, par les anesthésistes de la parole. Ceux-ci, en des circonstances favorables, seraient capables de tout, pourraient tout justifier. On a montré à quel point les langages totalitaires ont plus d'impact et de pouvoir de conviction que les faits eux-mêmes. Ce n'est pas l'incendie du Reichstag qui eut une importance, mais l'exploitation verbale de ce fait (Jean-Pierre Faye).

Aujourd'hui, bien que mal informés puisque le mensonge et l'hypocrisie pénètrent toute action politique (je pense aux «papiers du Pentagone», à l'affaire Watergate, aux prétextes de la répression d'octobre 1970, etc.), nous sommes conscients des crimes et tortures qui ont ravagé maints pays, de l'Indonésie à la Grèce. Nous devenons solidaires de l'immense misère de l'homme, mais d'une misère très précise liée à des images précises d'hommes précis, comme aucun homme ne l'était avant le développement des mass media. Et notre impuissance est tragiquement proportionnelle à notre conscience. Toutes ces perceptions de désastre, d'avilissement, de tortures, de dégradation, de déploiement de puissance, de parades militaires pénètrent notre inconscient, agissent sur les sources mêmes de notre vie mentale et affective et font monter en nous l'angoisse et l'intensité du «sentiment tragique de la vie» à un point tel, que nous ne pouvons ressentir notre vie consciente que de plus en plus comme un mal indéfinissable que nul homme, nulle œuvre de l'homme ne parviendront à guérir. Comment serions-nous sans cesse au courant de l'immense travail de la haine qui s'attaque aux hommes pour les déshumaniser — et le plus souvent s'en prend aux plus démunis, aux plus pauvres —, et continuerions-nous à vivre (à faire l'amour, à manger, à marcher dans la lumière du soleil, à regarder les arbres en feuillaison, les ruisseaux qui éclatent, les chats qui s'appellent, la mer qui nous enveloppe) sans être, au moment le plus inattendu, pris de panique, asphyxiés, *coupables*? Comment prétendre savoir quelque chose du mal et de l'histoire? Si tout cela est l'œuvre des idéologies, faisons la guerre aux idéologies qui minent l'homme véritable et sa dignité, que ces idéologies soient explicites ou non. Aucune idéologie s'attaquant à la vie même, à l'amour, n'est digne d'être défendue. Il n'y a aucune raison que ce bambin de trois ans soit écrasé par un char américain, il n'y a aucune raison que cette femme polonaise courant avec un enfant dans les bras soit abattue par un soldat allemand, il n'y a aucune raison que ce prisonnier algérien soit torturé, il n'y a aucune raison que cette étudiante du Brésil soit avilie, dégradée par de petits capitaines. Qui pourra me trouver des raisons, qui osera me parler de la marche de l'histoire? Ce n'est jamais sans un sentiment d'horreur que j'entends les cris des jeunes qui appellent la violence, d'autant plus qu'ils ne sont pas toujours éveillés à la tragédie innommable de l'homme sur notre planète. Le mal est le pain de l'homme. Comment peut-on avoir assez de certitude, assez de confiance en *ses vérités*, pour s'engager dans une action dont la vie des autres fera les frais? «Merde! je ne veux pas vivre!» C'est en cela que je suis à l'antipode de l'homme d'action. Je n'ai pas de certitude si inébranlable, que je puisse m'engager dans une action qui devienne un désastre, un tourment, une injustice pour un seul homme. Je plains la conscience des hommes politiques qui sont informés de toutes les implications de leurs décisions, qui savent que telle usine, par exemple, fabrique des bombes au napalm, mais s'en lavent les mains parce que la vie économique (le niveau de vie) est la seule justification des gouvernements.

«J'ai toujours cru, écrivais-je, qu'il y a des attitudes de l'esprit qui sont au-dessus de nos certitudes fragiles d'être des haut-parleurs de la vérité.» Les événements du FLQ m'ont prouvé qu'il suffit de peu de chose pour que ceux qui se croyaient profondément humains se moquent d'une mort d'homme. Et quand je vois des hommes prétendre ne pas être blessés par cette action aveugle du terrorisme, action qui n'est qu'une expression de plus de la haine des hommes, je ne suis pas étonné que nous ne sortions pas du labyrinthe de la souffrance et de l'avilissement. Je me suis surtout méfié du défoulement de satisfaction, d'une sorte d'apaisement que plusieurs ont ressenti dans l'ombre des premières actions du FLQ. Ils se substituaient lâchement en esprit à ceux qui posaient leurs bombes. Ils avaient une sorte de jouissance sans le risque de l'acte. Il n'y avait pas de parole assez grave pour démasquer cette complaisance. On se taisait dans une sorte de complicité idéologique. Le masque était noble. Vive l'imposture! Comme le disait Bertolt Brecht: «C'est l'uniforme qui fait l'homme.» Celui qui accepte de porter un uniforme mental est foutu. On peut toujours discourir face au soleil avec un bel uniforme idéologique, mais le soleil recule dans l'espace devant ce verbiage. On peut toujours parler d'amour en uniforme, mais l'amour n'illuminera point, n'embrasera point.

Nous nous sommes souvent demandé pourquoi il y avait tant de poètes au Québec. Il ne faudrait tout de même pas exagérer. Les bons poètes, au Québec comme ailleurs, sont rares. Quand l'obsession de l'identité nationale sera disparue, que restera-t-il d'une grande partie de notre production littéraire qui s'insinue dans le champ poétique sous de fausses représentations, sans parler des feux d'artifice de la dé-construction et des bulles de taverne?

«La poésie est l'art du Nord, écrit André Suarès, tant le Nord est peu propre souvent aux autres arts; tant le Midi, même poète, l'est peu en général à l'art de la poésie.» Suarès s'opposait-il à la «haute humanité» de Maurras, pour choisir le barbare hyperboréen? Se liait-il au symbolisme «d'origine parisienne et flamande»? Il ne pouvait tout de même pas mépriser, comme Huysmans, les terres de langue d'oc, pour ne s'en tenir qu'à la France... Qu'est-ce que cela peut bien signifier? Pindare n'est-il pas de Grèce? Virgile, de Rome? Dante, de Florence? Et plus près de nous, Valéry, de Montpellier? Ungaretti, d'Alexandrie? Schehadé, de Beyrouth? Saint-John Perse, de Saint-Léger-des-Feuilles? Et Aimé Césaire? Bien! Mais la poésie du Nord serait-elle plus dense? Le soleil y serait-il l'être bénéfique par excellence? Ne serions-nous pas suspendus à son absence, plus conscients de sa présence que ceux qui s'engourdissent dans la chaleur de la lumière abondante, dans ce Midi où le soleil fait disparaître les ombres ou les découpe avec des lames, dans ce Midi où il dévore tout, n'acceptant de résistance que de la pierre et de l'olivier? Le soleil ne serait-il pas lié ici à l'irruption du vert, et là, cause spectaculaire, immense, de la sécheresse? Comment ce soleil du Sahara ou de la forêt tropicale aurait-il la même signification que l'astre en élévation sur la montagne, ou sur la mer, ou sur la neige? Cela dit, l'affirmation de Suarès est une pure tangente. Quand je pense à la poésie bédouine du désert, au chant des troubadours, à Dante, à Cavalcanti, à Pétrarque; quand je pense à l'indicible peinture du Nord qui a transmis la lumière, qui a fait ce saut de la couleur à la lumière — ne mentionnons que Vermeer et Rembrandt —, comment ne pas sourire devant cette remarque d'un homme du Midi s'il en fut, et même, d'un natif de Marseille?

Je suis peut-être un peu plus d'accord lorsque Suarès oppose la poésie oratoire et la poésie musicale.

> La poésie oratoire est celle du passé; et l'on peut déjà prévoir que la poésie future, avant tout, sera musique.

Là encore de quoi s'agit-il? Il faudrait sans doute s'entendre sur le sens de cette musique possible. J'ignore pourquoi la poésie moderne, de langue française, et peut-être la seule authentique depuis Théophile de Viau, commence pour moi avec Baudelaire (sans négliger la densité de Nerval), pourquoi Pierre Jean Jouve est le plus grand poète actuel à mes yeux? Nulle part il n'y a davantage de musique que chez ce poète. Je préfère cette densité toute proche de la musique qui vient de l'âme à la grande mécanique rythmique de Victor Hugo, à l'épopée d'un Saint-John Perse. Si celui-ci est un artisan génial de la langue, il ne peut devenir un frère d'âme. Tandis que chez Jouve tout est tragédie, tout se confronte à l'Éros sombre, tout est musique. Il n'y a pas, peut-être, de poème qu'il ait écrit où je ne puisse être touché par quelque vers. Je reconnais bien chez Jouve le soi qui a été nourri longuement par le dieu Mozart et par la ténèbre de Baudelaire. Je reconnais certain déchirant soleil, certain espace nocturne qui sont la marque d'une âme profonde. Excepté Baudelaire, Nerval, Rimbaud, Claudel, je ne retrouve cette tension que chez Hölderlin, l'immense unique, et plus récemment chez Stefan George, Hopkins, Trakl, Yeats, Dylan Thomas, Ungaretti et quelques autres.

Durant cette année de 1964, j'ai lu le premier tome du *Journal* de Maine de Biran. Rarement j'ai fréquenté un écrivain qui étale aussi naïvement sa faiblesse, son impuissance, ses changements d'humeur. (Bien entendu, comme dans tous les cas semblables, il n'est pas prouvé qu'il ait voulu publier.) Rien d'éclatant chez lui, rien de ces luttes propres aux personnages de Shakespeare, mais toujours une sincérité désarmante, une sincérité qui rabâche et rabâche, ne parvenant pas à se dégager d'une profonde torpeur où la moindre contrariété risque de le plonger. Il y a parfois tant de naïveté dans sa confession, qu'on a peine à croire qu'il était philosophe. Quand il écrit: «Je ne suis pas fait pour vivre au milieu des passions des hommes; la nature m'a donné une organisation délicate, faible; je sens le besoin constant d'appui et de bienveillance», à première vue on peut être étonné, mais n'est-ce pas un cri pouvant sourdre en chacun de nous à certains moments de notre vie? Je sais, il y a les bagarreurs, les mâles qui ne croient qu'au mythe de la violence pour se prouver qu'ils ont des testicules. Ils répondent à leurs pulsions, et se croient forts et libres. Ils opposent les subversifs aux dépressifs. Ils sont encore enracinés dans la tourbe archaïque de la bête humaine. Cet homme faible qu'est Maine de Biran me touche davantage dans sa faiblesse avouée, que les SS de toutes destructions qui sont bien incapables d'avoir pitié de leur pauvre être. Maine de Biran était demeuré un enfant? Peut-être... Cependant ce type d'enfant est plus près de l'homme en voie de plénitude, d'«ordination», que le surhomme, et même qu'Achille qui tente de terroriser son adversaire en hurlant.

Gabriel Bounoure a écrit dans ses *Marelles sur le par-*

vis: «Je me demande à quoi peut bien correspondre le désir, sans doute vain, de se faire médiateur en matière d'émotion poétique.» Certes, il me fallut recevoir de la musique de Varèse un choc radical pour que je m'engage dans un travail de biographe auquel rien ne m'avait préparé. Je crois cependant que l'émotion musicale seule n'aurait pas été suffisante si Varèse n'avait été l'un des rares créateurs du XXe siècle vraiment victime d'un long silence que sa nature farouche de solitaire et d'Olympien n'incitait pas à rompre. S'il n'avait pas subi l'injustice, jamais je n'aurais voulu ni même pensé à écrire sa biographie. «Il a passé comme une ombre parmi nous», me disait avec une grave admiration Marc Chagall. D'instinct je m'éloigne des vedettes, des hommes adulés, ensevelis sous les hommages et les honneurs. J'aurais aimé Stravinski, que je n'aurais pu écrire quoi que ce soit sur cet homme. Je crois donc que je suis davantage sensibilisé à l'injustice qu'à toute autre motivation. Dans le cas de Varèse, cette injustice fut une détermination assez vive pour me pousser à lutter pour lui. Il y a quelque chose d'anachronique, du chevalier portant le flambeau, dans une attitude semblable. Tout m'éloignait de ce travail. Je n'étais ni musicien ni musicologue. J'avais trente ans. Je n'avais aucune relation. Comment ai-je pu proposer à Varèse d'écrire sa biographie? Comment Varèse a-t-il pu accepter? Plus qu'un pacte secret, ma parole devint, à mon insu, le cri d'un petit-fils de Varèse. J'avais une grande affection pour cet homme. Je dois même ajouter que je considérais comme une injustice de plus le fait que Varèse ait un biographe aussi obscur, aussi peu qualifié que je l'étais. N'aurais-je été un tant soit peu compagnon de Don Quichotte, que je n'aurais pu surmonter la multitude d'obstacles qu'un travail de cette envergure impliquait. Or j'avais une volonté si acharnée, qu'en septembre

1964, je terminai la première version de mon livre, après l'avoir commencée le 2 août. Ce n'est pas sans appréhension que je soumis ma deuxième version à Varèse, quelques mois avant sa mort. S'il m'avait répondu qu'il n'acceptait pas mon livre, je l'aurais tout simplement détruit sans rien regretter. Il trouva mon travail «admirable». Quant à moi, je n'étais pas satisfait: faute d'argent, je n'avais pu me rendre en Europe et visiter l'endroit où Varèse avait passé son enfance, non plus que les lieux où il lui était arrivé de vivre avant de s'établir en Amérique. Ce n'est que trois années après la publication de mon livre que je visiterai Le Villars, Tournus et même Paris. Qu'importe, mon ouvrage fut très bien accueilli par les critiques musicaux de Paris et de New York, et très bien reçu par le monde musical du Québec!

En janvier 1965 paraissait *Le Soleil sous la mort*, mon troisième recueil de poèmes. En fait, j'avais presque l'impression, à ce moment-là, qu'il s'agissait de mon premier livre. Je n'avais jamais eu autant conscience d'une certaine maturité que je cherchais dans le sillon des poètes que j'admirais. Cette concentration, avec le recul, n'est pas très différente de celle de *Ces anges de sang*. Elle a toutefois plus de racines. Ce livre s'était nourri de tout: de la femme, de la quête d'identité collective, de cinéma, de la guerre, de l'oiseau, de l'arbre, bref, de la vie.

Cette année-là, j'ai vu de bons films comme *Le Désert rouge, Le Bonheur, Onibaba* et surtout *Kwaidan*, de Kobayashi. Si la troisième histoire de ce film n'est pas l'un des plus beaux moments du cinéma, je ne comprends rien au cinéma. Quel hiératisme! Quel retour aux sources de la poésie! Quel passage de la nuit au blanc des vergers! Comment les «esprits» ont-ils pu convaincre le jeune moine de consoler les morts, en évoquant, pour l'éternité, la catastrophe, l'assassinat de l'enfant-empereur qui descendit dans les eaux sombres et rouges de sang vers la mort? Les ombres arrachèrent au musicien des morts, déjà aveugle, ses oreilles qui n'avaient pas été protégées par les signes, par la puissance du rite. Notre poète des morts aura pitié de ceux dont la fonction, et le supplice, est de revivre à jamais l'indicible tragédie dans les enfers. Avec eux, assumant ce drame, il revivra les événements. Il entrera en passion douloureuse. Il deviendra un médiateur entre les événements et les êtres les ayant vécus. Tout revivra par lui. Tout sera à jamais présent. Toutefois, ce n'est que lorsqu'il y consent librement, qu'il devient un rédempteur, que tout apparaît majestueux, silencieux et sublime.

LUI

Le cœur est la clef du monde et de la vie.
NOVALIS

Dans sa *Lettre sur l'apostasie*, Maimonide remarque:

> Mais ceux qui ne se sentent pas le cœur à témoigner par le sang ne peuvent être tenus pour renégats. Autre est d'abandonner sa foi par perversion de l'esprit, autre d'en affecter l'abandon sous l'effet d'injustes violences.

Cette pensée du philosophe juif, exprimée il y a huit siècles, n'a pas encore été saisie et demeure l'une des manifestations les plus profondes de la compréhension du cœur de l'homme. C'est une parole irradiante de tolérance et du seul véritable humanisme qui soit digne de l'homme: *celui qui vient du cœur*. Dans notre époque bouleversée, pendant que des millions d'hommes meurent dans des guerres insensées, d'autres, à l'abri, bien nourris, se payent le luxe de la bravade, de la fanfaronnade, en accusant ceux qui ne pensent pas comme eux de *lâcheté*. Qu'est-ce que le courage? Je choisis deux définitions: celle de Descartes et celle d'Alain. D'abord Descartes.

> Le courage, lorsque c'est une passion, et non une habitude ou inclination, est une certaine chaleur ou agitation, qui dispose l'âme à se porter puissamment à l'exécution des choses qu'elle veut, de quelque nature qu'elles soient.

Par conséquent celui qui accuse un autre de manquer de courage ne le juge que selon la mesure de sa propre tendance. C'est pourquoi il a souvent la raillerie facile et l'anathème sur les lèvres. Et maintenant, Alain:

> Le courage même consiste à différer la violence, ce qui est la conduire et non s'y livrer.

Là encore beaucoup d'hommes confondent leur amertume, leur haine, avec le courage. Esprits grégaires, ils n'ont de courage généralement que dans la foule qui se déchaîne. Que nous apprend Maimonide? Ne pas juger le cœur de l'autre, ne pas le croire sans passion parce qu'il n'a pas la vertu du courage dans telle circonstance. Il y a tant de formes de courage, selon notre hérédité, notre éducation, nos aspirations, qu'on fait bien de démystifier les héros. L'adolescent d'Amazonie, qui subit l'initiation en étant mordu par des fourmis, est peut-être courageux, mais les mœurs de sa société l'ont conditionné à affronter ce moment de passage, ce moment d'intensité. Ce qui ne signifie pas qu'il n'ait pas de courage.

Aujourd'hui, j'ai donc appris à ne pas juger les autres selon mes propres passions. Je sais que je suis courageux au sens de Descartes, puisque je mets toute ma détermination dans l'accomplissement de certaines choses. Je sais que je n'ai aucun courage, aucune force pour affronter certains événements. Je sais que j'ai pu subir une opération sans crainte. Je sais que si je m'éloigne spontanément de toute manifestation de masse, c'est que ma propre histoire, mon éducation m'éloignent de ce type d'action. Je dois dire que toujours je m'éloigne de la foule. Je me refuse de participer à toute forme d'extraversion collective qui aliène ma liberté de décision. Je n'ai peut-être qu'une forme de courage: celle de vivre ma vie. La seule forme de courage authentique est celle qui correspond à notre mouvement entier. Nous ne sommes lâches que vis-à-vis de nous-mêmes. Les critères objectifs du courage ont aussi peu de fondement que les critères des multiples morales juridiques. Et c'est dans cette acceptation, dans ce respect de l'autre, que Maimonide m'apparaît comme précurseur d'un nouvel «humanisme». Il y a dans sa position tant de lucidité, tant de générosité, qu'il me semble un modèle de la relation interhumaine digne des hommes. Et c'est peut-être parce qu'il appartenait à une minorité persécutée qu'il accéda à cette justice profonde qui, ne se considérant pas comme absolue, s'était interdit de juger. Le don le plus extraordinaire que reçoit de la vie celui qui est persécuté, celui qui est victime de l'injustice, c'est précisément d'être sensibilisé à l'injustice. Né dans un peuple qui n'a pas encore voulu s'autodéterminer, né dans une classe dite prolétarienne, je suis méfiant de mon propre fanatisme. Quand on subit l'injustice, rien n'est plus facile que de basculer dans des revendications où point l'injustice. Il faut se méfier de toute amertume accumulée, de toute violence explosive et spontanée. Dans certaines occasions le courage est de dire non. Lorsque des policiers blancs du Mississipi ont livré au lynchage (en juin 1964, et cela continue au Brésil) Mickey Schwerner, James E. Chaney et Andy Goodman, le courage était de dire *non*. Quant à moi je ne me sens d'aucune façon courageux. Je crains tout ce qui est manifestation de violence populaire. Je n'ai pas d'idéologie qui me permette de la justifier. Mon humanité n'est pas dans cette foule qui regardait tomber les têtes place de la Concorde. Nous savons à quel point l'univers concentrationnaire a reflété fidèlement notre société. Il y avait ceux qui tuaient pour un morceau de pain, et d'autres qui donnaient leur morceau de pain, et même leur vie. Nous savons que dans certaines circonstances nous avons des réserves de courage et d'énergie insoupçonnées. Tant que nous ne sommes pas au mur, nous ignorons ce qu'est le mur, nous ne savons pas si nous pourrons nous tenir debout. Tout le reste est propagande idéologique.

> Nous avons connaissance à présent de milliers de mondes à l'intérieur du monde de l'homme, que toute l'œuvre de l'homme avait été de cacher, et de milliers de couches dans la géologie de cet être terrible qui se dégage avec obstination et peut-être merveilleusement (mais sans jamais y parvenir) d'une argile noire et d'un placenta sanglant. Des voies s'ouvrent dont la complexité, la rapidité pourraient faire peur. Cet homme n'est pas un personnage en veston ou en uniforme comme nous l'avions cru; il est plutôt un abîme douloureux, fermé, mais presque ouvert, une colonie de forces insatiables, rarement heureuses, qui se remuent en rond comme des crabes avec lourdeur et esprit de défense.

Puis, après avoir dévoilé le monstrueux, le vacillant, le pauvre être humain, Pierre Jean Jouve, dans son admirable avant-propos à *Sueur de sang*, dégage les puissances blanches qui rendent l'homme si touchant, si noble dans sa misère.

> Il n'y a pas à prouver que le créateur des valeurs de la vie (le poète) doit être contre la catastrophe;

> ce que le poète a fait avec l'instinct de la mort est le contraire de ce que la catastrophe veut faire; en un sens, la poésie c'est la vie même du grand Eros morte et par là survivante. Je ne crois pas à la poésie qui, dans le processus inconscient, choisit le cadavre et reste fixée sur lui; il n'y a, par le cadavre, ni révolution ni action. [...] La révolution comme l'acte religieux a besoin d'amour. La poésie est un véhicule intérieur de l'amour. Nous devons donc, poètes, produire cette «sueur de sang» qu'est l'élévation à des substances si profondes, ou si élevées, qui dérivent de la pauvre, de la belle puissance érotique humaine.

L'homme appartient à la «race de l'amour», disais-je dans mon poème «Guerre ou Paix». Nous revenons toujours à la source de notre soif dont parle Victor Hugo. Je me sens si bien quelquefois dans ma peau d'animal, je me sens si bien agissant comme un animal, que je dois avoir la mémoire de quelque état antérieur que notre race a connu, il y a infiniment longtemps. Je comprends Novalis d'avoir sondé le passé immémorial. Il a fallu qu'un instant l'homme soit heureux dans sa nature d'homme, immensément heureux, pour qu'il ne réussisse jamais à oublier cette plénitude et cet équilibre à jamais perdus. Et si la pauvre puissance érotique humaine dont parle Jouve ne pouvait déboucher que dans l'espace où tout se métamorphose en l'amour? Et si elle remontait, chaque fois, à travers les multiples états antérieurs de l'être vivant qui un jour devint homme? Et si elle était la seule force en l'homme qui ait gardé mémoire de ce que fut cet être entier surgissant du souffle de Dieu?

Depuis que je me suis remis en question, je ne sais plus vers qui, ou vers quoi je me dirige, je suis fissuré, mais j'accepte mon «absolue nudité». Je sens soudain de grandes ombres de néant qui m'encerclent le cœur, et j'aurais la tentation de me laisser sombrer. À d'autres moments, je vois la large déchirure que fait le soleil quand il passe dans la nuit de l'être. Qu'est-ce qui me remet en marche, lorsque l'immobilité est si naturelle? Pourquoi? Vers qui? Quand je suis envoûté par une image de femme nue tout particulièrement perverse, quand mon imagination me fait concevoir des tortures me révélant le puits monstrueux de mon inconscient, quand j'ai l'impression que toutes mes valeurs sont en état de pourrissement, que mes plus nobles sentiments ne sont le combustible d'aucune passion, quand j'ai la sensation de me coucher dans la glace, sans ressort aucun, aux prises avec des bêtes; quand je revois l'adolescent portant le monde avec ses ailes, quand je revois l'homme angoissé au moment où son enfant va naître, quand je deviens fou d'anxiété parce que ma femme ne guérit pas assez vite de sa bronchite, quand j'ai de la joie devant un tableau de Fra Angelico, quand je vois le soleil toucher la mer, quand je me sens bien, étendu sous l'arbre; ne suis-je pas toujours le même homme? Que d'effrois lorsque je regarde l'homme que je suis! Nous rêvons, rêvons d'actions merveilleuses, nous avons des extases, nous exultons devant l'univers qui est inépuisable, et soudain quelle rage d'impuissance devant un virus qui nous agresse!

En cette année 1965, suis-je encore chrétien? Sans doute. Dans ma recherche de vérité qui me fait espérer ou qui me permet de supporter le mal indéracinable au cœur de l'homme, je n'ai rien trouvé de supérieur au *Sermon sur la montagne*. Nulle part je n'ai senti plus d'amour de l'homme que chez le Christ. J'accepte simplement sa parole: «Qui me voit, voit le Père.» Il me suffit de croire que le Christ a ouvert l'histoire. Sans la lumière de Pâques, je suis convaincu que nous retournerions aux ténèbres d'où nous venons peut-être. Je n'ai pas trouvé de meilleure façon d'être homme, que de l'être en devenant un autre Christ. Non pas que j'y parvienne. Je ne suis même pas sûr de bien saisir le sens du sacrifice tel qu'il l'a exposé et demandé. Je suis très loin d'être un chrétien en acte. Mais je suis en marche vers Emmaüs. Je sens qu'il est à mes côtés. Comme dirait Jouve, je ne suis pas encore sorti du placenta, je suis en état de désir de quelque chose que je ne puis nommer, de quelque chose de lumineux qui, me tirant le long du corps veiné de la femme, me fera tomber dans l'infini des yeux où certaine âme mystérieuse m'attend. C'est peut-être là que je retrouverai une voix que j'ai perdue, et qui parfois affleurait à mon esprit au moment où j'étais dans une immobilité de silence et de gratitude. Je ne sens plus ou rarement cette lumière qui me nimbait, cette chaleur qu'enfant et adolescent j'ai connue certaines nuits de Noël. Je suis même plutôt angoissé à la seule pensée que cette chaleur pourrait revenir, comme si elle m'avait amoindri; parce qu'elle est liée à un mal profond, un mal encore si près, si près qu'il me suffit d'y penser de nouveau pour me sentir l'âme à vif, anxieux. En attendant, je me blottis contre un corps de femme, comme s'il pouvait me protéger des frayeurs sournoises. Je me dis que le Christ est l'Homme, et que nous serions moins hommes s'il n'était venu. Je n'arrive pas à croire que l'être humain soit ce dieu dont parle Marx ou Nietzsche. Nul homme, que j'ai rencontré, n'a encore étanché ma soif. Il n'a donc pas, cet homme, la source qui réponde à notre désir, n'est-ce pas, Hugo? Quand je regarde un homme, je vois que la mort le travaille. Il succombe à la terre, sans cesse harcelé par le soleil, l'homme et Dieu. Que lent est le progrès de la conscience morale! Comme elle oscille des cimes au néant! Quel amoncellement d'ombres et de morts! Je suis en l'homme collectif comme un vermisseau: je lui dois tout, mais il n'a pas le pouvoir d'étancher ma soif. Je suis un moment de cet homme collectif, ne serait-ce qu'une fraction de seconde. J'illumine l'homme de ce que je suis. Est-ce que ma vie ne serait pas, dans son éclair de conscience, cette intensité, cette impulsion électrique aiguillonnant le grand corps collectif qui doit continuer sa marche? Quel est ce dieu qui se décompose, si je ne deviens pas en lui un moment de miracle, de fulguration, une aiguille de feu, une pointe de lumière? (Il ressemble à ma figurine dogon: elle est casquée, ou plutôt enveloppée par un cimier fruste, comme une dernière allusion aux héros d'outre-tombe, mais son corps est crevassé, vide, et n'a plus de jambes.) Et pourtant, l'homme collectif c'est vous, c'est moi en relation avec vous et croyant à la vie, à l'homme, même lorsqu'il agonise dans des souffrances atroces. Malgré tout, je polémique passionnément avec cet homme collectif. Je n'arrive pas à croire qu'il soit un dieu. Notre pauvre union, si solennelle, si monumentale qu'elle soit, est à chaque instant menacée. Nous risquons toujours de tourner contre nous un poignard ou une grenade. Bientôt je me détacherai du grand corps, vous vous détacherez les uns des autres... S'il y a une image de l'homme qui résonne comme un accord lointain d'une ancienne sorcellerie, c'est bien celle de l'homme qui s'est cru dieu.

Varèse meurt le 6 novembre 1965.

Je me demande si ce n'est pas Freud qui a dit que la mort était une énergie muette, et la vie, une clameur? Quel lien secret s'est établi entre la mort de Varèse et le surgissement des poèmes qui formeront mon livre *Dans le sombre*? Il n'y a apparemment aucune relation entre ces poèmes proposant les risques, les pièges et les ascensions de la vie sexuelle d'un couple, et la mort d'un compositeur de génie devenu pour moi un grand-père. Or, une semaine après la disparition de Varèse, je commençai d'écrire mon livre de poèmes avec une énergie telle que je me sentais en fusion. Le 14 novembre, j'écrivis dix poèmes; le 15, six; le 17, six; le 18, trois; le 22, deux; le 25, quatre; le 26, trois; le 27, cinq; le 29, un; le 6 décembre, deux; le 7, deux; le 8, deux et le 10, un. Après ce tremblement inexplicable de mon besoin d'écriture, de ma propre durée, il me faudra attendre un an avant que j'écrive les «Eurydice solaire» et «Cortèges» du même livre. En moins d'un mois j'avais donné ma meilleure œuvre. C'est pourquoi je fus tenté de voir un rapport souterrain entre la mort de Varèse et ce travail de libération que fut pour moi l'aventure poétique *Dans le sombre*. C'était la première fois que j'écrivais une œuvre poétique comme on écrit un roman. C'était le seul de mes livres de poèmes qui avait un thème unique et, par conséquent, une unité d'écriture et d'expérience. Jusqu'à cette œuvre, l'inspiration s'était toujours faite rare. J'étais en attente continuelle, sans cesse engagé dans une nuit où je ne pouvais qu'espérer, à l'affût des moindres signes qui me parvenaient. Cela me parut d'autant plus remarquable que j'avais terminé le premier jet du présent ouvrage la veille de la mort de Varèse. De plus, n'avais-je pas écrit la deuxième version de la biographie de Varèse en août-septembre? En trois mois et demi de cette année 1965, j'avais donc mis en forme trois œuvres tout à fait différentes. J'avais trente-cinq ans.

1966-1973

J'entrai dans une période d'extériorisation, de travail en équipe, après avoir donné ma mesure dans la rédaction de trois ouvrages. Le 7 mars, en effet, j'étais nommé membre de ce qui deviendra la Commission d'enquête sur l'enseignement des arts au Québec. Au sein de la Commission, j'avais plus précisément la responsabilité d'un travail de réflexion sur la problématique même d'une intégration des arts dans la formation de l'être humain. Je rédigerai par la suite la section du rapport relative aux questions de philosophie, de psychologie, de définitions: «L'art, l'homme et la société»; ainsi que les sections consacrées à la danse, à la musique, au théâtre et aux arts audio-visuels.

Lorsque je vois qu'on déclassifie les professeurs, je me demande quand on commencera enfin de déclassifier les politiciens. Il faut avoir un culot inouï pour proposer des augmentations de salaire aux politiciens pendant que l'on déclassifie les professeurs. Le pouvoir a d'autant plus de droits qu'il est la médiocrité même. Les hommes des limousines noires ne doutent de rien. Ils vont continuer à parler de la personne humaine, de l'ordre, etc. On sait où mènent les promesses de sécurité des politiciens. On sait que la parole n'a aucune signification pour eux tant ils sont habitués à *s'en servir*. De la république de Platon, c'est le politicien qu'il aurait fallu expulser. Il s'agit en général d'une catégorie d'êtres qui ne courent pas le risque de la vérité. Leur position est trop instable et éphémère pour qu'ils s'engagent à fond. Ils ont trop de liens pour nous parler avec liberté. Le général de Gaulle, dans cette perspective, demeure le véritable politique. Il y a un monde entre un tel politique et un politicien. Ce n'est donc pas l'Autorité qui est en soi remise en question — bien qu'il faille questionner sans cesse l'Autorité, parce que la vie collective est mue par elle — mais la «crédibilité» de l'Autorité dans un pays, à un moment donné. Notre système électoral ne permet pas l'apparition de grands politiques. L'appareil des partis est trop lourd, la caisse électorale trop souillée. Quand on est Charles de Gaulle, on n'appuie pas son existence, sa responsabilité, son autorité sur des tractations de coulisses avec certaines éminences grises. Ce qui sort des coulisses a baigné dans la grisaille des coulisses.

Il y a peu d'espoirs de changement. Quand je regarde le monde au début de ces années 70, j'observe une dégradation infinie de la politique. Il y a de plus en plus un virage vers la force, la torture, les arrestations arbitraires, l'espionnage comme solutions de gouvernement. Le monde est rempli de vrais et de faux colonels qui veulent faire le bonheur du peuple malgré lui. Votez oui ou votez non, disait-on à la face du peuple grec, de toute façon ça ne changera rien, nous resterons au pouvoir. C'est ça la démocratie dans notre monde d'aujourd'hui. Il y a mille façons de forcer la voix du peuple et de le mépriser. Tous les régimes politiques sont atteints. On peut affirmer qu'un cancer généralisé ronge la politique. Il n'est plus possible de revêtir la politique d'une robe blanche afin que la noce soit pure et sincère. Tous les gouvernements sont dans le sillon de Locke: «La liberté est puissance.» Pour ceux qui ont choisi la puissance, la liberté de l'intellectuel, par exemple, est un mirage. Ou bien celui-ci n'existe pas, ou bien on l'envoie en Sibérie, ou encore on le «soigne» dans une clinique psychiatrique. Les règles du jeu sont simples. Quand l'homme sera suffisamment dégoûté de vivre dans ce monde, s'il peut encore être conscient de sa mort, alors nous assisterons à la naissance de quelque superinconscient génial qui réussira à atteindre le noyau de la terre afin de la désintégrer. Cette race de vivants-morts n'a-t-elle pas trop vécu? Il faudrait tout de même avoir assez de décence pour ne pas continuer à se dire homme quand on ne l'est plus. Il est certain que pour les politiciens, les présidents, les colonels, les premiers ministres, il n'y a plus d'homme. Ils parlent d'ailleurs trop du respect de la personne humaine pour être encore des hommes eux-mêmes. Pour une fois, les philosophes et les politiciens sont d'accord. «L'homme est mort! l'homme est mort! l'homme est mort!» Ne me lisez donc plus, je suis d'hier. Je suis en glissement vers la mort. Bientôt je ne saurai plus que je suis homme. Mon être recevra peut-être son coup mortel pendant qu'il regardera un tableau de Piero della Francesca, pendant qu'il écoutera le *Quintette en sol mineur* de Mozart, pendant qu'il lira un poème de Hölderlin, pendant qu'il fera l'amour, pendant qu'il contemplera la mer; mon être s'en ira peut-être en apportant les dernières images de cet animal archaïque dans l'univers qu'aura été l'homme.

En mars 1967, j'ai fait mon premier grand voyage,

avec André Belleau. Je me suis rendu à San Francisco et à Los Angeles. Je suis demeuré ébloui par San Francisco et le Pacifique. Je ne peux que revoir l'immense soleil rouge descendre à l'horizon de Santa Monica. Je ne peux que me souvenir d'une certaine «princesse» noire marchant la tête haute dans une rue muette du vieux San Francisco. Et de la plage infinie, les palmiers, les fleurs, avec derrière, la ville supermorte, répandue dans sa mort: Los Angeles.

Le 23 novembre de la même année, pour la première fois je partais vers l'Europe. Ce fut un véritable périple de pays en pays, passant par Milan, Florence, Rome, Moscou, Varsovie, Lodz, Vienne, Munich, Ulm, Francfort et finalement Paris. J'avais toujours été un peu terrorisé à l'idée d'affronter Paris et la France. C'était le pays de mes songes, de l'«ouï-dire», comme l'Italie l'avait été pour Ungaretti. C'était d'une façon obscure ma «patrie» spirituelle, cette patrie dont j'avais une lancinante nostalgie. Il n'était donc pas inutile que je traverse l'Europe avant d'entrer à Paris. Je serais déjà moins sous le choc de l'Europe. Je m'y serais préparé peu à peu. J'ai donc découvert l'Europe par Milan et son brouillard, l'humidité de sa gare, le Dôme, et surtout par la *Galleria* qui m'émerveilla (bien que Suarès l'eût traitée de «gare sans rails», de «halle aux propos», de «masse d'une laideur insigne»). Ungaretti y flânait peut-être ce soir-là en rêvant.

Un œil d'étoile
nous épie de la mare là-haut
et filtre sa bénédiction glacée
sur cet aquarium
d'ennui somnambulique.

Le voyage, pour moi, demeure finalement l'occasion

de m'ouvrir à la magie des lieux où ont vécu des êtres aimés. C'est chaque fois un retour vers des sites où telle musique, tel poème, tel tableau, tel homme sont nés. Ainsi, à Vienne, il m'a fallu deux heures avant de trouver le cimetière Saint-Marc où Mozart fut jeté à la fosse commune, cette journée de tempête du 5 décembre 1791. Peu de monuments m'ont plus secoué que la petite colonne tronquée. Comme j'ai quitté Vienne, pour la première fois, au début de décembre, j'ai pu connaître les vents puissants qui balaient la ville. De pareils vents ont sans doute chassé le dernier ami ou admirateur qui suivait le corbillard de Mozart. (De la même façon, sous les orages de Vienne ou de Salzbourg, je penserai à certaines musiques de Beethoven et Mozart.)

Comment dissocier Florence de Dante? Rome de Virgile, de Michel-Ange? Dans un tout autre état d'esprit, j'ai demandé qu'on m'amène au monument du ghetto de Varsovie. Aller vers Varsovie, c'était pour moi toucher la terre d'une souffrance indicible, c'était me recueillir en un lieu qui condensait et symbolisait toute la souffrance des hommes. Il n'est d'ailleurs pas étonnant que j'aie été malade à Varsovie. Comment mon organisme n'aurait-il pas réagi? Plus tard, comme je serai illuminé par Salzbourg et ses montagnes, par Amsterdam en marchant dans la vieille ville sur les traces de Rembrandt, et, grâce à Gilles Marcotte, par Tübingen (que la guerre avait épargné), par le Neckar et la tour d'or où mourut Hölderlin, par Strasbourg et la Petite France, le soir illuminée! J'allais en pèlerinage à mes sources. Je rêvais éveillé sur les lieux secrets et sacrés de mon histoire intérieure.

À Paris, bien entendu, j'ai visité maints monuments, maintes rues, j'ai beaucoup marché. Quelle merveille de découvrir le beaujolais nouveau en décembre! Comme mon amie Odile Vivier-Marchand saura bien en parler!

(Il me faudrait citer sa lettre si vibrante sur les vignes. Il me faudrait rendre justice à Pierre Jeancard qui m'a révélé de grands crus de Beaune et m'a fait faire la route des vins.) Dès mon premier voyage, je me suis rendu avec Robert Marteau chez Pierre Jean Jouve qui m'a simplement et chaleureusement accueilli. L'aménagement de son appartement avait été inspiré par la lumière et l'ordre mozartiens. Hautes tentures blanches de la grande baie de fenêtre, fauteuils princiers blanc et rouge, gravures de Méryon, statuette de Notre-Dame, grande table nue: cet appartement vibrait. C'était mon premier contact avec l'homme qui m'avait soutenu en poésie dès 1955. Par pudeur, je n'ai jamais publié sa magnifique lettre d'encouragement. Et comme à ce moment-là je venais de réaliser avec sa collaboration deux émissions d'une heure consacrées à son œuvre, Jouve savait que mon admiration et mon affection lui étaient acquises. Il m'avait même fait un éloge bouleversant du texte témoignage que j'avais publié dans le numéro spécial de *Liberté*. Bien que Jouve soit un solitaire, altier et distant, notre conversation avait été très directe et amicale. Il s'était beaucoup informé du «passage» du général de Gaulle au Québec. Je lui avais décrit la *montée* sur le Chemin du Roy. Il m'autographia quelques-uns de ses ouvrages et me fit promettre de ne jamais venir à Paris sans lui rendre visite.

Le 3 septembre 1967, en revenant en voiture du parc du Mont-Tremblant, j'ai failli être heurté de plein fouet par une autre automobile. C'était la troisième fois que je voyais la mort de près. La première fois, j'avais pu saisir un quai de planches avant de couler; la deuxième, j'avais évité une collision de front. Depuis ma noyade possible, la présence de la mort ne m'a plus jamais quitté. J'ai pris conscience profondément qu'il ne s'agissait que d'une rencontre remise à plus tard. Il n'y a que peu de jours où soudain elle ne me manifeste sa présence. Elle hante toute ma poésie. J'ai certaine phobie de l'asphyxie. Quand je me suis réveillé après une opération d'ablation de la vésicule biliaire, j'étouffais littéralement. Comme si en sombrant dans une narcose j'avais remué des souvenirs et surtout ma peur la plus ancienne. La blessure n'était rien à côté de l'angoisse du manque d'air dans ce temps entre la narcose et l'éveil. Depuis mon enfance, la mort s'est présentée en général sous le masque du noyé. J'ai vu maints noyés en parcourant le fleuve, maints noyés sur les plages. Inutile de dire que cette mort, qui heurte nos sens avec toute sa laideur noire et mauve, ne laisse aucune résonance sublime. C'est une mort qui a violenté le corps, c'est un corps qui s'est battu avec le souffle. Comment être sûr que toutes mes fibres n'obligeront pas la mort à pourchasser, à travers mon corps, mon ultime volonté de vie? Il ne s'agit que de l'acte de mourir. Mais la mort véritable? Le saut dans l'abîme que nul n'a raconté, qui échappe totalement à la parole, qui n'a pas été dit et ne le sera? Qu'est-ce que cet autre éveil? Face à qui? Avec qui? Quel est ce passage de l'être du temps-espace à l'être en esprit? Tout ce que je sens, c'est que je serai avec les hommes que j'ai aimés, que ce soit François d'Assise, Dante, Mozart, Hölderlin, tous ces morts des camps nazis, tous ces morts du Biafra, tous ces morts que j'ai connus, et mes proches, mes enfants, mon amour. Après des millénaires de cris, de souffrances, d'humiliations, de séparations, l'amour reviendra tout comme le soleil enveloppe la mer d'éclats, de scintillements, d'argent infini. Rimbaud ne s'est pas trompé.

Après avoir été refusé par le censeur de l'imprimerie Saint-Joseph, mon livre *Dans le sombre* paraît enfin le 27 décembre, à mon retour d'Europe. On n'a pas très bien compris ce livre. Certains critiques mettront même cinq ans avant de réviser leur jugement. Ces poèmes de l'expérience humaine la plus vive entre deux êtres racontaient, à travers le choc et l'extase sexuelle, maintes façons d'être. C'est avant tout un livre de vie grave, risquée, folle, malade. Par nos métamorphoses nous revivons toute l'histoire de l'homme dans ses modes d'être, dans ses quêtes, ses divagations, ses accords uniques. S'il s'agit d'un livre essentiellement érotique, en ce qu'il est imprégné en chaque mot par la «puissance érotique», c'est aussi un livre de la mort, une chronique d'aède qui revient d'une pérégrination. De là ces dimensions sombres, ces enlisements, ces luttes, ces bondissements de bête sans doute aveuglée par cette «lueur» du *derrière* dont parle Georges Bataille dans son *Alleluiah*. De là également ces émerveillements, ces tendresses, ces embrasements, ces fusions, ces résurrections dont on ne revient que difficilement. Je ne me suis jamais accoutumé à revenir. Je retourne à la femme comme si je m'accrochais à mon quai, dernier geste avant de me noyer. Je remonte de l'angoisse et m'agrippe aux yeux, à la chair la plus belle, comme le soleil s'incline et retourne à la terre. La femme est ma terre. La femme est souvent mon ciel. La femme est mon espace et ma durée. Et pourtant, parfois, je ressens une lassitude aiguë et soudaine. Je suis frappé en plein esprit par certaine intuition de la mort, par quelque désir étrange et incompréhensible de la mort. Je la sens traverser les traits de l'aimée. Je commence à saisir ce que signifie être las, ce que signifie appeler, ne serait-ce qu'un instant fugitif, la mort comme une issue possible. Je commence à comprendre ce qui se passe dans la tête d'un homme qui chavire sous le poids des ans, des expériences dures et des désespérances. Pourquoi ne s'abandonnerait-il pas le temps d'une pensée à son vertige? Pourquoi la lassitude ne l'amènerait-elle pas à dire *oui* à sa mort?

C'est l'espérance qui est difficile. Ne vit-elle pas au cœur des hommes de «chétive pâture» (*Tristan et Iseut*)? Après la mort du christianisme avec Kierkegaard, après la mort de Dieu avec Nietzsche qui ne faisait que clamer cette mort insidieusement préparée par Hegel (car dès l'instant que Dieu entra dans un système, il entra dans sa mort), après la mort de l'homme, après la mort du sens, après la mort de la poésie que certains proclament, nous avons atteint la limite de la désespérance. Rappelons-nous comment les nazis ont rendu l'homme *objet*. Rappelons-nous comment le stalinisme a pétrifié l'homme et la société. Puisque nous avons atteint le fond de la désespérance, nous ne pouvons plus maintenant que remonter vers la lumière. *Il n'est plus question de la mort des valeurs, tout est mort, il n'est question que de la naissance de valeurs nouvelles.* Mais je comprends parfaitement que ceux qui désespèrent de la poésie ou la renient, par exemple, ne puissent chanter sous la désespérance. Ils sont déjà en retard sur la mort. Comme je n'ai pas encore rendu la parole, puisque la parole est naissante parmi nous, je continue à me battre pour aller vers la lumière et le soleil. En ce sens, l'«avant-garde» n'est souvent que le dernier sursaut de l'entropie gigantesque qui a suivi la «mort de Dieu». Simultanément les hommes travaillent contre la mort, contre la désespérance, à contre-courant. Les fossoyeurs agissent sur la scène des fausses modes où s'agitent les marionnettes. Ils accaparent l'attention et appellent l'accord de ceux qui sont pressés d'en finir, de ceux qui voudraient régresser sans fin, rêvant de la bête première, de la violence première. Tout le sacré est retourné afin d'être bien certain qu'il n'en restera que des vestiges de violence. Cependant la parole n'est pas muette, dès l'instant où j'ouvre la bouche. La poésie n'est pas morte, dès que j'espère, dès que je me considère un être de parole, dès que je reviens de la mort. À tout moment, je peux entendre un accord éolien jamais perçu qui jaillit de je ne sais quel abîme.

Il ne faut donc pas s'étonner que ceux qui désespèrent de l'homme, de la parole, proclament la mort du sens, la mort de la poésie. Faut-il, pendant ce temps, comme Pénélope détisser nos possibles textes? Au contraire, il faut ignorer les tyrans et les princes du jour. Il faut continuer à avancer «sur rien, dénoncés» (Michel Deguy). Quant aux *morts*, ils n'ont plus qu'à se taire. Dans certains cas, ce qu'il y a d'odieux dans leur attitude, c'est qu'ils sont propagandistes, qu'ils veulent entraîner et maintenir les autres dans leurs ténèbres. Personne ne leur demande d'empêcher la naissance, la résurrection. Ce n'est pas la première fois que l'homme se délivre de sa nuit. Pendant que la parole poétique était morte sous les invasions barbares, le chant renaissait dans les tentes des nomades du désert, la Dame montait à la citation du Bédouin. Et ce n'est qu'avec l'éveil de la pierre, l'église romane, le tympan de Moissac, le chant de Guillaume IX que cette énorme irruption de vie et d'unité s'est à nouveau manifestée. Pouvons-nous attendre un autre chant après Buchenwald et Hiroshima? Sommes-nous en pleine opacité, agressés par «l'énergie muette de la mort»? Certes. Les masques de la mort sont multiples. La barbarie se camoufle sous maintes hypothèses scientifiques. Peut-être souterrainement est-ce un vaste travail d'unification qui a commencé? Les descendants de la *beat generation*, par exemple, se figent dans la drogue en parlant d'attente, d'ouverture, comme s'ils allaient être foudroyés par Dieu. Certes, je suis d'accord avec eux qu'on ne peut que désespérer devant la mort profonde d'une large dimension de notre civilisation et de notre culture. Ce qui m'éloigne de la *voie* de la drogue, de l'anarchie et de la révolte, c'est qu'il me semble qu'on doive désespérer *totalement*, peut-être, mais surtout *lucidement, sans l'anesthésie d'aucune drogue*. Je ne respecte que ceux qui peuvent assumer en toute conscience et lucidité leur désespérance et leur révolte. Je pense à Guevara, à Fanon. Quant aux autres, ils me semblent des victimes de la société qu'ils dénoncent, des pantins de la pègre, des esclaves de la «connection», plus que des êtres libres qui portent dans la nuit leur désespoir et leur parole. Ils sont des résidus de la mort présente, non des signes de la résurrection attendue. Les morts multiples, spectaculaires, désespérantes nivelleront peut-être notre culture, pousseront les maladies inguérissables à leur terme. En nous tenant bien droits sur la falaise, en écoutant la respiration immémoriale, en nous accordant au soleil qui aspire le monde, peut-être pourrons-nous déjà sentir l'immense résurrection de l'homme, l'immense présence de Dieu, quand notre civilisation se sera vraiment tue, et qu'une nouvelle encore toute sanglante et fragile nous relèvera partout dans les villes, dans les campagnes, dans les prisons, dans les cours de justice, dans les universités, dans les parlements, dans les usines. Peut-être alors, si nous regardons avec compassion, sentirons-nous qu'un nouvel homme collectif s'est dressé. Qu'il a repris sa marche depuis son propre chaos, qu'il a repris ses ailes sans l'orgueil d'Icare, qu'il s'est accroché au soleil sans la présomption de Phaéton. Phénix est vivant en chacun de nous.

Au début de janvier 1969, j'ai été très étonné par mon poème «Le périple». Je n'avais pas écrit depuis quelque temps, et ce poème s'imposa dans une dimension et avec des ruptures qui à ce moment-là me parurent étrangères. Je ne le reconnus pas comme mien, parce qu'il me précédait. Après chaque silence prolongé, je ne reconnais pas la voix qui me contraint et m'entraîne dans l'errance de la vie en poésie. J'y ai vu alors (de même que dans le poème «En quelle Patrie?») une sorte de prémonition de l'échec de notre aventure comme peuple. Comme si le poème nous devançait à ce point qu'il pouvait clore le cycle dans une fulguration inaccessible à notre conscience. J'espère que je me suis trompé. Mais lorsque j'ai écouté le discours de Pierre Elliott Trudeau affirmant que le nationalisme (seulement le nôtre, car le nationalisme américain ou canadien est sain, naturel, comme tout nationalisme qui est une constatation de la vie, de l'unicité d'un peuple ou d'une nation) aboutit à la violence et à l'assassinat, que notre volonté de vivre n'est plus qu'une idéologie appelant la mort, j'ai cru que peut-être mon poème était un signe. Car lorsque le premier ministre a pris la parole, dans ce discours où la fureur lui arrachait les yeux, où l'ombre de Torquemada se dessinait, j'ai compris par la suite que cet homme ne pouvait agir face aux événements d'octobre qu'en aggravant ces accidents, qu'en couvrant notre peuple, *son* peuple, d'un grand voile de menaces. Pour paraphraser Baudelaire, j'ai senti l'aile du fanatisme chez des hommes qui se seraient voulus de froids technocrates. Et l'on ne pouvait pas prévoir, lors des vagues d'arrestations — lesquelles n'étaient que des tactiques d'intimidation contre notre peuple —, jusqu'où iraient les apprentis politiciens de Québec et d'Ottawa. La main-d'œuvre autour d'eux pour les sales besognes était abondante. Des milliers de petits colonels, capitaines et tortionnaires en puissance n'attendaient qu'un signal, pendant que le mensonge s'en prenait aux esprits, pendant qu'une autre fois la parole pourrissait. La panique était d'autant plus vraisemblable que nous avions peu d'expérience de l'histoire. La façon de réagir de nos dirigeants l'a bien prouvé. Après la mort de Kennedy, après l'enlèvement de plusieurs diplomates, a-t-on mis les pays auxquels appartenaient ces hommes sous une loi de mesures de guerre? Nos politiciens ont réagi comme des hommes sans maturité, trouvant le prétexte excellent pour esquisser un scénario d'action contre les «maudits séparatistes». Cela, nous ne pourrons jamais l'oublier. La mémoire demeurera blessée par cette mise en scène des politiciens, des soldats et des policiers. Si les politiciens avaient été moins faibles, ils n'auraient pas perdu la tête, ou du moins ils ne se seraient pas servis de cette tragédie de l'enlèvement et de la mort de Pierre Laporte pour gonfler leur force politique. Après la tactique de la fuite des capitaux, lors des élections d'avril 1970, ce fut la tactique de l'envahissement des demeures, mitraillettes au poing, matelas éventrés, murs ouverts. Après cette comédie dramatique, combien furent condamnés? Après tout, ce petit peuple, qu'on sommait de *speak white*, a bien peu d'expérience historique. On pouvait l'impressionner, lui en mettre plein la vue. L'idée d'indépendance serait à jamais déracinée. Il fallait agir vite avant que le niveau scolaire ne s'élevât trop. On pouvait encore contrôler la dimension électorale de notre démocratie. Les farceurs pouvaient se manifester. Les forts en gueule, les arrivistes. Dans ces conditions, on comprendra que je n'aie pu accepter le prix du Gouverneur général pour mon livre d'essais *Les Actes retrouvés*. Je ne pouvais, quelques mois après ces événements, m'incliner devant le chef d'État qui avait décrété la loi des mesures de guerre. C'est pourquoi j'écrivis «Le temps des veilleurs» afin de rendre publique ma position et mon refus. C'était ma seule façon d'agir et de conserver une certaine dignité.

LE TEMPS DES VEILLEURS

Dans le dernier numéro de la revue *Liberté* j'ai publié un poème intitulé «Octobre 1970», lequel, à sa façon, traduisait mon attitude face à l'affrontement des gouvernants et des terroristes lors des événements dramatiques d'octobre dernier. Après cette prise de position, je ne puis accepter d'être honoré par le chef de l'État qui a proclamé la loi des mesures de guerre. Certes il est bien connu que le poète n'a pas de pouvoir. Mais il n'en demeure pas moins qu'à mes yeux l'écriture doit être un *acte total* et singulièrement cette parole concentrée qu'est le poème.

À cause de la proclamation de la loi des mesures de guerre, par le gouvernement du Canada, beaucoup de personnes du Québec ont subi de graves injustices. Quelques-uns de nos dirigeants et beaucoup de citoyens ont alors manifesté à l'égard du langage un tel mépris, que cette inconscience a déchaîné la réaction la plus primaire. La mort d'un homme est suffisamment tragique sans qu'elle devienne l'occasion d'une immense perversion du langage qui fonde notre dignité d'homme. «Honneur des hommes, Saint LANGAGE [...] » a écrit Valéry. Or il y a certains mots, en Allemagne et ailleurs, qui ont été littéralement vidés de sens sous le poids des crimes et des mensonges qu'ils permettaient. Cela le poète ne peut pas l'accepter. Il ne peut pas être le complice de cet avilissement, de cette déshumanisation. Car sa fonction sociale éminente est de veiller sur l'âme du langage. Et aujourd'hui cette fonction que je n'ai pas choisie m'impose de décliner le prix du Gouverneur général qu'un jury vient de me décerner pour mon ouvrage *Les Actes retrouvés*. Le temps des veilleurs, contemplatifs et hommes d'action, est venu.

Depuis quelque temps je me passionnais pour les troubadours. À bien les écouter, j'ai senti une possibilité de ressourcement grâce à l'éclat, l'émerveillement et la concision de leur chant. L'alouette et la Dame aspiraient toute fine amour. L'amour qui était né historiquement avec le chant de la Dame, avec tout son mystère, semblait le sommet de cet amour pur et naïf que j'avais en quelque sorte vécu comme adolescent. L'amour courtois c'était l'amour adolescent dans l'histoire même de l'homme. Il y avait une analogie entre le tympan de Moissac représentant l'apparition de l'Éternel, où chaque disciple est un adorant minuscule devant le Christ en gloire, et cette attitude poétique de célébration de la Dame que je découvrais chez Bernard de Ventadour et les autres troubadours. (Je posai d'ailleurs la question à Georges Duby.) Cette poétique demeurait un modèle, parce qu'elle était le signe d'un grand moment de la conscience humaine. C'est ainsi qu'en ce mois de juin 1969, mois magnifique de lumière, j'ai refait le pèlerinage des lieux habités par les troubadours avec mon ami le poète français Robert Marteau. Poitiers, La Rochelle, Cognac, Barbezieux, le château de Mareuil, Hautefort, Uzerche, Brive-la-Gaillarde, Cahors, Toulouse, Carcassonne, Perpignan, Montpellier, Collioure, Barcelone, Arles, Aix-en-Provence, Avignon, Orange.

Durant ce voyage j'ai découvert la Méditerranée. Une semaine à Collioure, sur la côte Vermeille, les plages de Barcelone, la Rambla des fleurs et des oiseaux, une grande corrida, les odeurs de chèvrefeuille imprégnant le mistral qui nous enveloppait à Sanary-sur-Mer, la loggia de ma chambre donnant sur la promenade des palmiers et des jardins, le port de plaisance, etc. La Méditerranée m'attire toujours, comme elle peut appeler en général les Nordiques. Nous qui sommes partis vers l'Ouest, nous sommes toujours tentés de jeter un regard vers l'Est, vers l'Orient des origines.

Au retour je fis un arrêt à Bourg-en-Bresse, au Villars, village de l'enfance de Varèse, et à Tournus. La pierre rose de Saint-Philibert, sa solidité et son dépouillement nous marquent à jamais.

Il y avait d'ailleurs un rapport entre la *fin'amors* et la beauté de Saint-Philibert. La beauté ne serait-elle pas l'équilibre qui se dégage d'une forme essentiellement unique? On pourrait dire de plus que s'il y a équilibre, il y a fulgurance, il y a cristallisation d'une lumière de l'éternité. C'est en ce sens qu'Hermann Broch (dans *La Mort de Virgile*) a remarqué qu'il s'agit d'un «espace figé par le temps», d'un «espace magiquement beau, que nulle question ne saurait plus renouveler, nulle connaissance élargir [...] espace [...] maintenu par l'équilibre de la beauté qui agit en lui». Il est donc question d'un espace immuable, d'une entièreté qui s'annule comme espace afin de dégager son noyau de signification. La beauté se propose comme une unité infinie, fondée, par définition et paradoxalement, sur l'évidence de ses limites. C'est pourquoi Broch a écrit que la beauté se manifeste dans la «tristesse endeuillée». Dès qu'elle est perçue dans son existence de fulgurance, de concentration, d'intensité, elle endeuille aussitôt en saturant l'homme de l'évidence de ses limites. Et pourtant, il y a eu éclair. «Ainsi la beauté se révèle à lui, dit Broch, comme un événement aux confins.» D'une part il y a événement, si fulgurant soit-il; d'autre part il y a un caractère d'insaisissable par sa distance même, comme si cet événement se passait «entre l'infini et le fini», «à la limite de l'espace, sans être aboli». D'où cette constatation de Broch:

> [...] donc la beauté ne touche pas à l'existence du temps; elle l'abolit seulement symboliquement, elle n'est qu'un symbole de l'abolition de la mort, mais jamais l'abolition elle-même.

Quand on se bat avec l'infini dans le trajet du poème, on a parfois l'impression de voir apparaître l'impérissable. Un tremblement précède la *survenance* de l'impérissable. C'est une illusion nécessaire, mais une illusion qui ne doit en rien duper la conscience qui ne sait que trop que la mort demeure présente en soi, prête à s'abattre comme l'aigle, serres tout ouvertes. Bien entendu, il nous faut croire qu'il y a, d'une certaine façon, dans l'émergence de la beauté, une victoire sur la mort; mais cet événement se passe dans un autre monde où le poète ne peut pénétrer. Il faudrait bien prendre garde de ne pas descendre aux enfers pour aller vers Eurydice... Car la beauté du poème, dès qu'elle a foudroyé, se retire aux enfers. N'est-elle pas l'illusion du passage dans un autre monde où la mort elle-même serait abolie? À la vérité, la mort semble d'autant plus forte, que le poème descend aux enfers en Eurydice. Alors de quoi s'agit-il, de quel infini de beauté prétend-on nous abreuver? La beauté apparaît

> [...] comme une fictive infinité terrestre, c'est-à-dire comme un jeu, comme le jeu de l'homme terrestre jouant à l'infini dans sa condition terrestre, comme le jeu symbolique à la périphérie la plus

> reculée de la vie terrestre, beauté, jeu en soi, jeu que l'homme joue avec son propre symbole, parce que c'est sa seule chance d'échapper au moins symboliquement à son angoisse de la solitude [...] la fuite dans la beauté, le jeu de la fuite.

Certes, dit Broch, l'homme joue à l'infini contre sa mort terrestre qu'il ne parviendra que symboliquement à abolir. Et pourtant, de ce jeu à l'infini, il reste certain infini, ne serait-ce que la descente aux enfers, au noyau de la fulgurance elle-même. Il est vrai aussi que la mort, par la suite, enserre encore plus, que l'angoisse s'insinue plus brutalement, comme si le propre de la fulgurance était d'élargir l'entaille. La fulgurance — cette illusion, ce jeu à l'infini — serait le plus court chemin qu'aurait découvert la mort pour mieux se révéler avec éclatement, puisque la fulgurance apparaît comme la lumière de ce qui va descendre aux enfers. Le poète sera d'autant mieux saisi par la mort, qu'il est aveuglé par la fulgurance. Cela transparaît avec les troubadours, mais surtout avec Dante, puis Scève, Jodelle, Pétrarque, Góngora, Shakespeare, pour rendre une intensité quasi insoutenable avec Hölderlin et Baudelaire. Dans cette optique, Baudelaire est un troubadour inversé, de même que Nerval qui ne parvient pas à rejoindre sa Dame. Le troubadour a pris la direction de la fulgurance, il a subi le premier rayon qui rend aveugle (Apollon m'a foudroyé, disait Hölderlin), mais encore très faiblement, si bien que la mort est pour lui plus lointaine. On voit quel chemin a suivi la poésie pour se dépouiller presque entièrement de cette irradiation fraîche et ne manifester, rendre palpable, que l'événement de la mort s'attaquant au noyau même, chez Baudelaire.

Revenons à Broch. Il s'agit bien d'un «jeu de la fuite», de la fuite de la mort par cette illusion de l'infini qui devient un signe d'immortalité, par cette répétition incessante de l'éblouissement du poème, de poète en poète. Mais l'illusion ne peut malgré tout que nous frapper avec la force de l'évidence. Si bien que le jeu devient désespérant.

> [...] le désespoir de l'art et son essai désespéré de créer l'impérissable avec des choses périssables [...].

De plus l'art est impitoyable pour les événements de douleur qui sont lentement, longuement vécus dans le temps. L'art est impitoyable «pour la douleur humaine, dit Broch, qui ne lui est rien, rien qu'une existence transitoire».

> À l'homme, donc, la beauté se dévoile comme la cruauté grandissante du jeu non refréné, qui promet dans le symbole une jouissance de l'infini.

À la demande de Gilles Marcotte (qui m'avait antérieurement commandé le poème «Naissance de la paix»), je regroupe au début de 1970 mes principaux essais sous le titre *Les Actes retrouvés*. L'essai demeure une forme de concentration, de dévoilement, convenant à mon esprit. C'est une pierre de prose irradiante. Autant je semblais incapable de concevoir un roman, autant j'étais tenté par l'essai, cet essai que je définirai dans un article pour les *Études littéraires* de l'Université Laval. C'est ce qui me passionnera chez Valéry dans ses *Œuvres complètes* et dans ses *Cahiers*. N'est-ce pas, d'ailleurs, un genre littéraire où devrait exceller l'apollinien? Toute forme de concentration m'attire. Je pense à la concision du style de Chateaubriand dans sa *Vie de Rancé*, et même, bien que je sois éloigné de cette forme d'esprit, au *Neveu de Rameau* de Diderot (livre qui avait foudroyé Goethe, ô mystère!), à Vauvenargues qui a une limpidité et une simplicité telles qu'on s'imagine que cette écriture est normale, naturelle, tant elle est parfaite. Je pourrais également parler du *Gai Savoir* de Nietzsche, d'une pensée de Braque («L'art est une plaie qui devient lumière»). Durant cette période, j'écrirai mes poèmes les plus concentrés qui seront groupés sous le titre: *la Terre d'où...* Ces poèmes seront écrits en deux mois, avec le même acharnement que *Dans le sombre*. La poésie me consume. J'imagine Dante écrivant sa *Vita Nova* et se mettant à irradier sous la force de la parole qui le traverse et l'habite. (Qui a dit que Dante était ennuyant? Il n'y a pas de poète plus génial, plus concentré, plus puissant. Il faudra attendre Hölderlin avant que le miracle se reproduise.) Je retrouve cette fulgurance chez Rembrandt, dans sa *Bethsabée*, ses *Pèlerins d'Emmaüs*, comme chez Fra Angelico, Simone Martini ou Lorenzetti qui sont à l'antipode du premier. Toutefois, lorsque je regarde *Bethsabée*, je me demande si j'aime le tableau ou bien cette femme, mais d'un amour de compassion pour le déclin de sa beauté; tandis que lorsque je contemple un Fra Angelico, un Lorenzetti ou un Piero della Francesca, je sais que je suis soulevé par la seule magie de la lumière, je sais que la peinture vient de me visiter. Je sens ces fulgurations dans la poésie de Trakl, de Borges, de Stefan George, dans certains textes d'Hofmannsthal, de Yeats, de Kawabata, etc. Il faut pourtant avouer que les lectures qui nous enivrent se font de plus en plus rares avec le mûrissement. On ne découvre pas Kafka tous les jours, ni cette inouïe *Belle du Seigneur* d'Albert Cohen, où l'amour courtois, le rire rabelaisien et le désespoir de Beckett se succèdent. Après avoir lu *La Source grecque* de Simone Weil, on a certaine nostalgie d'une vision qui est très rare. C'est pourquoi, depuis quelques années, je me suis engagé dans des lectures plus considérables comme *À la recherche du temps perdu,* les *Mémoires d'outre-tombe* (lesquels m'ont passionné à un point tel que la force et l'aisance apparente de Chateaubriand demeurent pour moi un mystère), les œuvres de Valéry, l'*Iliade* et l'*Odyssée, Don Quichotte*, Platon que je relis, etc. À côté de ces grandes œuvres, le *Narcisse et Golmund* de Hesse ou même le *Wilhelm Meister* de Goethe n'ont pas la même fascination. Les hasards de la lecture, les suggestions des amis nous font découvrir un livre magnifique comme le *Socrate* de Festugière, un poème de Guido Cavalcanti, les chants élevés de Pindare, ou la folie, l'aventure en pensée invraisemblable de Chestov dans son *Athènes et Jérusalem*, le *Tombeau de Ravenne* d'Yves Bonnefoy, les illuminations d'Ungaretti, les autopsies de Gottfried Benn. Et ce grand fleuve des œuvres pourrait se tarir parce que des scientifiques ont voulu enfermer le monde dans leurs esprits morts? Comment pourrais-je continuer à écrire si je le croyais? Comme on disait au Moyen Âge: je suis porté sur les épaules d'un géant.

Nul art ne rend mon écriture plus impuissante, stérile même, que la musique. Car si la peinture permet un dialogue assez naturel, un passage de la contemplation à la recréation verbale, la musique, autre durée intérieure par excellence, paralyse ma parole, et singulièrement la poésie qui est un art de condensation de la durée. Il ne semble pas y avoir d'équation possible, ni de convergence dans les visées, comme si les errances se poursuivaient sur deux parallèles. Et pourtant, la musique m'a fait, a fait ma sensibilité. C'est elle qui a raffiné sans cesse, depuis l'enfance, la matière lourde de mon être intérieur. Monteverdi, Vivaldi, Bach, Beethoven, Schumann, Chopin, Wagner, Brahms, Mahler, Debussy, Varèse, Webern, Gilles Tremblay. En effet, que puis-je bien dire au sujet de *Tancrède et Clorinde* ou de la *Lettera amorosa* de Monteverdi? Que dire de la bouleversante *Première Symphonie* de Mahler? Je me sens d'autant plus muet et incapable d'en parler, que j'ai reçu de la musique une qualité insaisissable de mon âme.

De l'arbre à l'oiseau

J'en suis arrivé à une vision utopique du monde de la douceur, de la patience et de la tendresse.

Je suis si impatient que cette impatience m'accable comme une sorte de dérèglement soudain de mon système nerveux. Je crois bien que j'aurai infiniment la nostalgie d'un équilibre qui nous rende avant tout attentif aux autres, plus serein face aux erreurs, tant les miennes que celles des autres. Ce large équilibre apaisant qui agirait sur tout ce qui m'entoure n'est-il pas le produit d'une vision utopique? Comment me protéger, dans quel abri, contre les précipitations nerveuses, lesquelles en général proviennent de l'immense catastrophe qui sans cesse secoue le monde, le crevasse, l'emporte? La marche vers la douceur est presque liée dans mon esprit à une sorte de retour à l'harmonie immémoriale, rêvée, de l'homme et de la nature. La quête de la douceur est-elle possible dans l'espace de forte tension, de violence universelle et de lutte pour l'Argent et la Puissance? Est-elle possible dans un univers où l'information nous violente et nous terrasse par la précision des faits cruels dont se repaissent trop souvent les hommes? Il s'agit bien du «monde» dont parlait le Christ. L'inimitié éternelle entre ce «monde» et Lui continue. Ce n'est pas sans nécessité que le cloître est apparu. De plus en plus, malgré certaines retombées du dernier concile, j'imagine une hantise du cloître chez les hommes, une faim du plain-chant. Comment la fausse modernisation, par exemple, a-t-elle pu permettre l'évacuation du grégorien? Cette musique sublime était un facteur d'apaisement et de douceur. On l'a remplacée par la *pop music*, par une attaque bruyante de la paix intérieure (bien que très souvent la *pop music* ait un caractère de religiosité archaïque). La paix et le silence apparaissent de plus en plus comme des images de l'utopie. Une sorte de dimension blanche a basculé en l'homme. Elle n'a même plus la légèreté du songe.

Le marxisme est une *utopie*, un optimisme que l'on prétend «objectivement fondé» sur une méthodologie, sur une praxis. Pas de salut sans la «structure dynamique temporelle». Bien! Cet espoir «objectivement fondé de valeurs authentiques, dirait Henri Lefebvre, réalisables par l'action révolutionnaire du prolétariat et de l'humanité» aboutit au stalinisme, au coup de Prague, et même aux cachots de Cuba. Personne ne se demanderait quel est le vice de ce mécanisme parfait qui doit entraîner, par définition, l'existence objective d'un paradis sur terre? Là où le marxisme pourrait être un moyen utile d'analyse ou de transformation, on en fait un absolu, une méthode infaillible: la *solution*, la *vérité*. Ainsi un Jaspers ou un Heidegger seront, pour Lefebvre, les artisans d'une renaissance philosophique «angoissée et décadente». Lorsque Heidegger se tourne vers la parole, vers la source poétique, ne permet-il pas au contraire une remontée de la pensée «pensante»? Ne se tourne-t-il pas vers la parole qui a la plus forte extension en l'homme?

Le point de vue marxien du *sujet* et de l'*objet*, de la connaissance de la nature est clairement et simplement exposé par Lefebvre. Nous sommes tout de même loin, avec lui, de l'objectivisme vulgaire. On pourrait dire qu'il s'agit d'une conception parfaitement fondée sur la raison et l'observation du visible. Je comprends qu'elle semble la vérité, dès qu'on refuse l'intervention de Dieu à l'origine de la nature et de la conscience. C'est une conception qui ne laisse aucune prise à l'invisible. Elle *semble* un outil d'autant plus valable pour une méthodologie d'une science littéraire, par exemple.

À ceux qui prétendent, afin de l'atténuer, que le marxisme n'est qu'une science (totale), Lefebvre rappelle sa dimension philosophique: théorie de la connaissance, méthodologie, conception du monde, de la nature et de l'homme. Il n'ajoute pas moins que le «marxisme veut être essentiellement — et il est — la science de la société et de l'histoire». Exemple de pensée marxiste: «Les véritables démocrates, les véritables représentants du prolétariat dans les différents pays se trouveront nécessairement d'accord pour déterminer une grande politique mondiale de démocratie et de progrès.» Chassez l'utopie... Et si l'on regardait de plus près, si on «observait» le réel historique? L'URSS envahit la Hongrie et la Tchécoslovaquie. La Chine appuie le Pakistan contre le Bangladesh, la Chine et la Russie se menacent, etc. Est-ce que les intérêts politiques des nations échapperaient aux exigences du matérialisme historique? La science marxiste n'aurait pas prévu les impondérables de la pensée et de la praxis des régimes politiques se fondant sur le marxisme dialectique et historique? La politique engloberait le matérialisme historique sans être elle-même englobée? Le marxisme ne serait pas une science de la totalité historique? Que devient la révolution permanente de Mao: maintenir la révolution tant qu'un peuple, tant qu'un homme seront asservis? Mao a-t-il protégé le Bengale que le Pakistan colonisait? Il aurait applaudi au déferlement des chars d'assaut en pays bengali? Et le Tibet? Et le Chili d'Allende aussitôt oublié? Quelle belle et noble sincérité a ce nouveau (ce dernier) prophète qu'on ose rapprocher du Christ, cet immense Mao à l'horizon des peuples, ce nouveau Père... d'une nouvelle fourmilière...

Je suis toujours frappé de voir l'utopie marxiste se fonder sur un postulat de *rationalité*. Ainsi, dès qu'il y aura entre les hommes des rapports rationnels, l'équilibre et la paix reviendront. On voit à quel point tout cela s'enracine dans l'hypothèse du rationalisme, d'une prise en main systématique, réfléchie, rationnelle de notre destin. Inutile d'ajouter que l'irrationalisme, l'imaginaire ne peuvent pas être considérés, en l'occurrence, comme des forces réelles de notre transformation.

Et l'*Idée* dans la conception hégélienne? Par le monde, la nature, l'homme, l'histoire, l'Idée prend conscience d'elle-même, elle se désaliène, s'arrache à son inconscience en entrant en mouvement dialectique avec le monde, l'homme et ses idées. Le but de l'histoire? Une lente conscience (d'elle-même) de l'Idée par elle-même. La différence entre l'Idée hégélienne et le Dieu des chrétiens? L'Idée n'est pas un Être en trois personnes. Elle n'est qu'une puissance sans passion, sans analogie avec l'homme. On ne pourrait pas dire de l'homme qu'il est fait à l'image de l'Idée. Mais, bien entendu, dans les deux cas, nous avons affaire à de purs esprits, donc à un idéalisme. La seule complication? L'incarnation du Christ. Complication pour le chrétien, mais non pour le bouddhiste qui peut raisonnablement croire que Bouddha est une sorte d'incarnation d'une idée de la perfection et de la bonté.

L'Idée de Hegel est un dieu réduit au désir de la connaissance, et non un dieu d'amour. Essentiellement, Dieu est Amour et Verbe pour le chrétien, et certes Esprit. Je préfère donc la conception marxienne à l'hégélienne. Je ne peux imaginer Dieu réduit à l'Idée. Alors, aussi bien donner une antériorité réelle et logique à l'homme s'accomplissant à travers les contradictions, une antériorité du réel sur l'Idée. Sans une *foi* en Dieu, je ne comprends pas qu'on puisse être idéaliste. C'est pourquoi le chrétien peut comprendre le marxiste. Je comprends bien chez Feuerbach le passage de l'idéalisme au matérialisme. Chez Marx égalcment. C'est pourquoi dans mon article sur la «tolérance» j'étais opposé à la conception hégélienne de l'État et du droit. Je ne pouvais accepter que l'État soit l'incarnation de l'Idée, le maître de l'homme, et ait une sorte d'antériorité sur l'homme.

Quel est cet arriéré, dira le sociologisant, le serviteur du tout collectif, le cerveau commissaire, quel est cet arriéré qui ose parler de déchirements intérieurs, de son moi malheureux (quel mot bourgeois!), quel est cet arriéré qui aspire à l'Être (mot qui de toute façon ne veut rien dire, remarquait Valéry)? Qui peut se payer le luxe d'être malheureux, affamé d'être, au moment où les énergies sont consacrées à la construction de la grande société socialiste? Qu'est-ce que c'est que cet «intérieur», ce «malheur de la conscience»? On serait malheureux après Hegel? Cette petite conscience bourgeoise, ce petit Canadien français aliéné, colonisé, étale encore impudiquement ses pseudo-tourments intimes? Il n'aurait pas lu Franz Fanon? Tout bon commissaire sait que la «conscience malheureuse», romantique (quel mot bourgeois!) est déshistoricisée, déphasée. On n'a pas encore compris que les psychiatres les plus scientifiques, les plus avancés (en Union soviétique, bien entendu) veulent précisément nous débarrasser de ces déséquilibrés qui parlent en état de délire, qui ont à la bouche les mots *liberté, religion, être*. Quel saut fait l'humanité quand les politiciens, les commissaires, les policiers, les idéologues et les psychiatres se donnent la main! Écrasons la «conscience malheureuse»! Que ne peut-il pas sortir d'un individu qui désire, qui est déchiré par l'ouverture, d'un individu dont la conscience est un abîme voulant aspirer l'Être et les êtres? Est-ce que l'édification du socialisme a besoin de ces malades? Et quand cet anormal se mêle d'écrire, c'est le «milieu» qui risque d'être contaminé. On a déjà vu des escalades de folie collective... Il y a tout de même des questions qu'on ne doit plus se poser depuis Marx. Les solutions sont là, à portée de la moindre intelligence. Les écrivains pourraient-ils avoir d'autre fonction que d'exalter l'édification du corps social? Le Sénécal de *L'Éducation sentimentale* avait bien saisi la nouvelle problématique des constructeurs, des producteurs, en affirmant que dans tel art il ne voyait «pas là d'enseignement pour le peuple. Montrez-nous nos misères, plutôt!» Il annonçait les grands camarades, les Pères des peuples. Ceaucescu, pour ne pas parler de Mao, «proposait» dans son discours sur la nécessité d'une révolution culturelle de «transcrire dans le domaine artistique les grandes transformations socialistes du peuple, le travail enthousiaste de millions de gens». Si Soljenitsyne avait seulement senti ce grand enthousiasme des travailleurs, il n'aurait pas connu le «pavillon des cancéreux» ni l'exil.

La *Note et Digression* (1919), qui prolonge l'*Introduction à la méthode de Léonard de Vinci*, de Valéry, est passionnante. Il s'agit bien d'une esthétique de la totalité. Valéry refuse toute forme de «création» qui n'engage pas la totalité de l'homme. Certes, il ne peut réduire l'œuvre au délire ou encore à l'inspiration. Il a raison de nous mettre en garde. Il veut une œuvre où tout l'homme (l'imaginatif, le conscient, l'artisan, etc.) soit engagé. D'ailleurs, j'écarte presque d'instinct un texte où l'imagination n'a pas de digues et se répand comme l'eau sur le sable. Tout cela demande des ratures. Valéry a raison d'exemplifier son point de vue en mentionnant Pascal et Stendhal. Pascal raturait. La concentration de Valéry semble impossible sans un effort patient et une profonde exigence l'entraînant à la «riposte». C'est bien ce style qui est admirable. C'est ce style qui en fait un grand essayiste.

Dans sa préface à *L'Homme nu*, Claude Lévi-Strauss s'en prend aux philosophes cherchant un sens secret dans les mythes. À la lecture de Lévi-Strauss on sent le frémissement de fierté de celui qui sait *scientifiquement*, qui connaît la signification de la grande voix anonyme, voix — selon Lévi-Strauss — que les philosophes hostiles au structuralisme n'entendent pas en elle-même, mais dont ils perçoivent seulement le sens qu'eux-mêmes y ont projeté. Pour Lévi-Strauss, toute cette entreprise, cet existentialisme, est de l'extase devant *soi*, de l'auto-admiration coupée du savoir scientifique. Que disait Valéry?

> [...] tout savoir auquel ne correspond aucun *pouvoir* effectif n'a qu'une importance conventionnelle ou arbitraire. Tout savoir ne vaut que pour

> être la description ou la recette d'un pouvoir vérifiable.

Ceci n'est pas très loin de Marx, de la philosophie qui doit devenir une *praxis*. Nous avons vu comment Lévi-Strauss est fier de sa connaissance, parce qu'il a la certitude de l'efficacité de celle-ci et qu'il ressent la solidité de son fondement et de sa démarche. Ne pourrait-on pas déduire que la science est un «savoir» rêvant de «pouvoir»? La science peut toujours espérer déboucher sur une application transformatrice du réel. De là sa confiance et son côté prométhéen. De là son mépris plus ou moins déguisé de la philosophie, à un point tel que la science niera même la capacité de connaître de celle-ci. Ne parlons pas de la poésie, qui est essentiellement un savoir sans pouvoir. Face à la mort de sa fiancée, Novalis — qui avait cru aboutir à une nouvelle praxis par son *idéalisme magique* — a bien dû admettre que la poésie n'avait pas de *pouvoir*. Lorsque la poésie prétend à l'efficacité, à la praxis (la poésie dite engagée), ne se nie-t-elle pas elle-même? La seule efficacité possible de la poésie ne réside-t-elle pas dans les métamorphoses des états intérieurs?

Valéry remarque:

> [...] la beauté est une sorte de morte. La nouveauté, l'intensité, l'étrangeté en un mot, toutes les valeurs de choc l'ont supplantée. L'excitation toute brute est la maîtresse souveraine des âmes récentes; et les œuvres ont pour fonction actuelle de nous arracher à l'état contemplatif, au bonheur stationnaire, dont l'image était jadis intimement liée à l'idée générale du Beau. Elles sont de plus en plus pénétrées par les modes les plus instables

et les plus immédiates de la vie psychique et sensitive: l'*inconscient*, l'*irrationnel*, l'*instantané*.

Pourquoi l'inconscient ne ferait-il pas partie de cet entièreté des forces d'expression de l'homme? C'est là que la dimension rationaliste de Valéry l'induit en contradiction, puisque Valéry vise à la totalité. Est-ce que la perfection doit s'évanouir devant l'originalité, comme l'affirme Valéry? S'il s'agit d'*originalité* consciente, d'originalité à tout prix, je comprends bien les réticences du poète. Mais pourquoi ne fait-il pas lui-même la distinction? On voit bien que pour Valéry la fabrication de l'objet artistique est une quête de son absolu. Et c'est relativement à son absolu qu'il juge les autres esthétiques. Est-ce que dans l'essence même de la différenciation il y a un refus de la tradition? Ce n'est pas du tout pour moi une évidence. Le Beau: une monnaie verbale qui n'a plus cours, ou qui est en consigne. On sent la profonde nostalgie de Valéry. Ne pourrait-on affirmer que beaucoup de valeurs identifiées par certains concepts — Beau, Bon, Vrai, lesquels étaient des attributs de Dieu — ne sont plus que menues monnaie dont les progressistes se gardent bien de tenir compte? Ça ne fait pas scientifique. Ça ne s'enseigne pas dans une université moderne. Sur le plan des valeurs, sur le plan de ma propre esthétique, je deviens de plus en plus un *errant*, un divagateur. Je n'ai aucune sécurité, je ne me rattache à aucune doctrine se proposant comme la vérité totale. Je comprends bien pourquoi les marxistes se sentent puissants, tels les scolastiques du XIIIe siècle. Car, à mon sens, être marxiste c'est adhérer à un système de pensée qui est axé sur la notion de *pouvoir*. Par définition, un marxiste est fasciné par l'idée même de pouvoir puisqu'il prétend à une praxis totale, à une saisie du devenir, à un contrôle de l'incontrôlable, de la chaîne des hasards, bref, à un absolu dans le relatif. Mais ma sensibilité et ma quête consciente de valeurs se hérissent aisément devant l'idée même du «pouvoir». Seule la liberté profonde me polarise. Peut-être sommes-nous alors vraiment dans l'espace du *tout ou rien*, peut-être retrouvons-nous la tragédie de l'individu kierkegaardien présent devant l'Absolu?

En octobre 1971, j'ai la conception de mon *Depuis Novalis, errance et gloses*. Je me suis préparé durant un an à la rédaction. L'idée m'est venue en travaillant dans un séminaire sur le romantisme allemand avec des étudiants de l'Université du Québec, en collaboration avec mon ami André Belleau. Nous nous nourrissions tous deux depuis longtemps des romantiques, tout particulièrement des musiciens. Mon premier projet était de m'en tenir aux *Hymnes à la nuit*, mais j'ai dû revenir aux *Disciples à Saïs* et à l'*Henri d'Ofterdingen* afin de procéder par étapes, pédagogiquement, vers une plus grande concentration. Le saut dans ma lecture des *Hymnes* aurait été trop brutal et peut-être incompréhensible sans une quête plus lente depuis les *Disciples*, sans le passage à l'Illumination par la Nature et la Féerie. Cela implique une ouverture progressive du style même correspondant à l'ouverture des œuvres lues.

NOTE SUR *DEPUIS NOVALIS*

Je n'ai écrit aucun livre qui m'ait autant violenté. Car *Depuis Novalis* m'a fait violence, il s'est imposé, il a appelé l'écriture. Deux siècles après sa naissance, Novalis a fait irruption chez un poète du Nouveau Monde. Le surgissement en moi d'un livre de cette nature fut à la fois inattendu et longuement préparé.

Depuis deux ans j'avais le fil conducteur. Dans *Les Hymnes à la nuit*, j'avais été frappé par la relation entre la quête spirituelle de Novalis et celle de maints mystiques. Mais je résistais. Je me méfie plus que tout d'une confusion inacceptable entre ces deux voies peut-être irréductibles de contemplation. Il a fallu que mon essai croisse comme un organisme vivant, c'est-à-dire organiquement, comme un être végétal ayant sa propre forme sauvage, sans le secours d'une «approche» pré-établie, pour que lentement je cède du terrain et qu'à la fin je me rende à l'évidence: Novalis était bien de l'arbre de Lin-tsi, Djalāl al-Dīn Rūmī ou Jean de la Croix.

Toutefois, ce n'est que deux ans plus tard que j'ai écrit les premières lignes d'une glose sur *Les Hymnes à la nuit*. J'ai commencé alors par l'œuvre qui me donnerait la plus grande ouverture d'errance et d'écriture. Dès les premiers pas, je me suis confronté au noyau d'irradiance secrète. Je tentais de cerner ce qui m'avait intérieurement le plus ébranlé. Mais il était peut-être question d'un type de relation tout autre que littéraire? J'avais l'impression de revivre avec Novalis ce qui avait été à l'origine de ma «vocation» de poète. À cause de ce choc initial, de cette parenté, de ce véritable «donner cours», j'avais la conviction de le comprendre de l'intérieur. «Comment un homme pourrait-il avoir le sens d'une chose, disait-il, qu'il n'en ait le germe en soi?» J'atteignais quelquefois à une fusion si totale avec Novalis qu'il me semblait que je ne pouvais plus parler de glose au sujet de cette écriture qui se déployait en spirale. S'agissait-il toujours de Novalis? Du romantique allemand né en 1772? N'étais-je pas en cette glose aussi profondément engagé que dans mes poèmes? Sans doute, puisque parfois, en parlant de Novalis, je ne parlais que de moi-même et de ma propre expérience. Il devenait à mon insu un prétexte. J'avais même alors l'illusion, et voulais la donner aux lecteurs, de parler d'un *autre*. Aurais-je pu devenir *cet autre* par une sorte de mimique langagière à propos d'une radiance de l'être aussi fondamentale, sans en avoir le germe en moi? Chose certaine, j'étais persuadé de prolonger une lignée spirituelle et de prendre position pour la parole.

Je sentais, bien que je n'en aie pas pris conscience explicitement, qu'il était urgent d'exposer la pensée de Novalis, surtout à notre époque où le désespoir recouvre tant d'écrivains moribonds qui se situent du côté des idéologies dominantes et se mettent au service du pouvoir. Il ne fait pour moi aucun doute que s'asservir au pouvoir, c'est devenir imperméable à l'imprégnation de l'être. La partie se joue de plus en plus entre d'une part les théoriciens, les tâcherons du troisième degré (le lecteur du lecteur de X), les idéologues, les soi-disant scientifiques, les politiques; et d'autre part ceux qui fondent leur vie sur une illumination, une inspiration, c'est-à-dire les idéalistes, les poètes «ivres» de parole, les a-scientifiques, ceux qu'on méprise en les traitant de *mages*, afin de mieux les nier, de mieux les occulter dans notre monde actuel. Or je prétends que les idéologues qui se lient au pouvoir sont du côté des morts. Je choisirai toujours Soljenitsyne contre l'écrivain commissaire qui veut imposer des directives et déclare savoir ce que le peuple attend d'une œuvre littéraire ou artistique. L'outrecuidance des nouveaux moralistes, des nouveaux inquisiteurs est infinie. À chaque époque, la Mort se couvre de nouveaux masques. Le difficile, souvent, est de la démasquer sous quelques idées qui ont du succès et nourrissent la masse des intellectuels qu'elle supporte en manipulant insidieusement leur intelligence. Qui s'étonnera que ces morts-vivants refusent la spécificité de la parole; qui s'étonnera qu'ils s'en prennent sans cesse, dans les laboratoires de littérature, à l'aventure et à la passion en littérature? Que peut répondre aux terroristes de la pensée, aux «abominables travailleurs», celui qui s'imagine que la poésie, par exemple, n'a pas de détermination plus profonde que d'aller sur les traces de Dieu parmi nous?

Sans m'en rendre compte, j'avais suivi le périple de Henri d'Ofterdingen descendant de grotte en grotte jusqu'à la troisième qui était la grotte de sa propre unité. Sans que je l'aie voulu, ma propre errance allait vers le moi le plus mystérieux de Novalis. Je partais avec *Les Disciples à Saïs* depuis la nature déjà pénétrée de poésie, pour aller avec *Henri d'Ofterdingen* vers la poésie déjà pénétrée de religion, et finalement déboucher, dans *Les Hymnes à la nuit*, sur une expérience religieuse aspirée par l'union mystique ou par le Soleil et l'Amour. Les trois parties de mon essai avaient à peu près le même nombre de pages, mais il n'y avait là rien de concerté. C'étaient toujours Novalis et ses œuvres qui continuaient de me violenter. On aurait pu dire qu'un appel à l'écriture provenant d'un *double* se frayait en moi un chemin. Comment ne pas sentir un rapport profond entre le cheminement de Novalis et ma propre démarche le long de murs que l'on érige afin d'empêcher la parole de prendre corps et de s'élever? Il s'opérait vers la lumière un retournement que je n'avais pas prévu. Et pourtant, encore aujourd'hui, sur le plan poétique, je me sens beaucoup plus près de Hölderlin, cet aède tragique de l'absence, et d'une nuit aux antipodes de celle de Novalis à maints égards. Pourquoi n'ai-je pas entrepris une *divagation* avec mon compagnon de Tübingen? Ou encore avec Baudelaire? Ou avec Pierre Jean Jouve?

Notre temps se meurt d'analyses, sans parvenir à rassembler autour de certains pôles les énergies les plus humaines. Or la parole essentiellement ne s'adonne qu'au *rassemblement*, en poursuivant sans fin une recherche d'*unité*. C'est pourquoi elle a tant d'ennemis chez les destructeurs, chez les adorateurs du Grand Texte, ou chez les asservis à la puissance. Comment Novalis ne serait-il pas actuel, là où, de plus en plus, des hommes se mettent en piste vers certaines sources immémoriales, ou se tournent vers de vives espérances? Alors que Hölderlin s'immobilise après s'être frappé en vain contre l'absence, laissant après lui les fossoyeurs s'enliser, Novalis ouvre des yeux émerveillés en brisant le cercle de la mort et passe radieux dans l'au-delà, en écoutant quelque musique de l'amour.

*

On a tendance à me reprocher l'utilisation (trop abondante?) de vers ou d'aphorismes en épigraphe. Pourquoi cela agace-t-il certaines gens? Il ne s'agit pourtant pas d'un éventaire où j'exposerais impudiquement une marchandise culturelle! Le plus souvent, il est question pour moi de faire entendre des résonances, comme un pianiste propose le *la* au violoniste afin qu'ils s'accordent, qu'ils soient au diapason. Mes épigraphes proposent non seulement le *la*, mais le mode, mais la gamme. Ouvrez vos oreilles! Je chanterai peut-être en *sol* mineur ou en *do* majeur. Voilà la fonction secrète de mes épigraphes. Je vous suggère de nous accorder comme des instruments, je vous précise une aire d'envol avant notre départ. Le choix de mes épigraphes est de plus une indication de mon intégration dans tel arbre spirituel, dans telle tradition, dans telle lumière intellectuelle.

«J'aimerais mieux avoir composé une œuvre médiocre en toute lucidité qu'un chef-d'œuvre à éclairs, dans un état de transe.» En accentuant ainsi la dimension du labeur, Valéry semble un poète de l'antifulgurance. On voit bien là une réflexion de rationaliste idéaliste. Je me demande s'il n'y a pas là plus d'orgueil que chez celui qui se soumet dès le premier mot à la Voix. Il est évident que je m'intéresse au cas Valéry parce qu'il est aux antipodes de mon orientation. Si, comme lui, je reconnais le labeur, le travail de l'analyse, de l'intellect, je suis beaucoup plus humble devant le don du choc initial, ou de l'inspiration. Je respecte mon travail, mais sans le choc je ne suis plus rien. Vaine question? D'où vient cet ébranlement? Je ne suis pas sûr que la belle poésie laborieuse de Valéry aide les hommes à traverser le malheur comme celle de Jouve. Je ferais la même restriction pour Saint-John Perse. Valéry ne peut être un ami de cœur, mais un ami qui émerveille, qui ouvre les paupières. Le génie véritable — mais qu'est-ce qu'un génie? — ne serait-il pas une merveilleuse synthèse de cœur, de passion, d'intelligence, d'imagination? Il me semble donc que Valéry a tort de ramener la question à une opposition de la fulgurance et du choix. Les deux sont tellement indissociables que son insistance sur le labeur me paraît le signe d'une époque, comme une réaction souhaitable aux faux inspirés, aux purs irrationnels. N'avait-il pas la tête trop mathématique pour ne pas être un profond sceptique? Comment aurait-il pu fonder en partie sa vision sur le consentement au don? N'y a-t-il pas là un tunnel luciférien? D'autre part le respect de l'*homo faber* est essentiel et sain.

Si j'avais à tenter de cerner ma propre poétique, puisque je viens de faire allusion à l'acceptation humble de la Voix, je proposerais ce poème qui, mieux que tout forcement d'explication, rend compte de ma démarche poétique.

TREMBLEMENT

Le mot résiste à toute puissance
comme un envers de soleil,
une fermeture pierreuse à l'éclat.
Que l'âme puisse capter le pouls
sous l'innombrable,
et mouvoir l'immobilité froide...
Quelque vibration sourde émerge
avec le tremblement du récit antique.
Certains sens finit par se distendre
sous le pressoir de l'onde,
l'onde lente longue depuis la mer.
Le plancton traverse l'épaisseur.
Emanation de l'étendue première
devenue toute vague souveraine.
Comment l'illumination
ne donnerait-elle la cadence,
ne soulèverait-elle le cœur?
Quand meurt l'alouette
en brûlant le bleu,
et que les ailes se dispersent:
c'est le signe, l'instant
du mot qui assemble.
S'ouvre la terre avec un mal de silence.
Qui a pu passer par la mort
de la profération nouvelle?
En nous quelques traces,
quelque mystère après la marée
et les retombées de ce qui a disparu.

Yves Bonnefoy, dans son introduction à *Athènes et Jérusalem* de Chestov, résume la problématique du Russe. Non! dit Chestov, vous tolérez que Socrate soit mort? Criez! éveillez-vous! À la fin du cauchemar, Socrate sera libre et vivant. Ne peut-on pas anéantir «l'événement détestable dans son essence d'événement»? Je parlerais du poids de l'espérance sur les événements, même ceux-là qui ont une conséquence dans l'histoire. Je ne *suis* qu'en espérant, c'est-à-dire en refusant quotidiennement l'essence même de l'imposture qui a mis à mort Socrate ou les Juifs dans les camps, ou les prisonniers dans les cages à tigre. Verra-t-on paraître le jour où tout événement de cette nature sera intolérable pour tout homme? Il n'y a pas de vaccin idéologique contre l'événement. Les justifications théoriques a posteriori devant les massacres, les tortures me font vomir. Il faut bien que l'humanité chavire dans le vide le plus total après Auschwitz, après les tortures en Grèce, au Brésil, au Viêt-nam. Il est si évident que nous vivons l'absence de Dieu! Le désespoir gagne chaque jour les consciences. Socrate est mortel et restera mort. Comment Chestov vient-il me tourmenter? Socrate pourrait ne pas être mort? Et surtout n'avoir pas été mis à mort? Nous pourrions remonter le temps et arrêter, suspendre le jugement d'Athènes, comme Dieu arrêta le bras d'Abraham? Puisque Dieu ne peut être à l'origine de l'injustice d'Athènes, il conserverait son pouvoir de renverser par-delà le temps la décision d'Athènes?

Tout ce qui me nourrit est fondé sur les trois *indémontrables* de Kant: Dieu, l'immortalité de l'âme et la liberté. En cela je serais kantien et kierkegaardien. Toutefois, je suis certainement moins scandalisé que Kant d'en être réduit à accepter ces indémontrables comme tremplins de mon existence. C'est là que le poète me sauve. Ma démarche, contrairement à celle du philosophe, n'a pas à partir du principe de contradiction ou de l'adhésion à une vérité nécessairement contraignante pour tout esprit. Ma quête est axée sur la fulgurance ou, plus précisément, elle est mise en mouvement par la fulgurance, et procède par errance dans l'espoir d'une entièreté. Cette quête du Tout est en relation à la fois avec l'Absolu, l'Être, et les autres hommes plongés dans le temps historique. Je suis contraint de m'accorder à l'Être (mot signe de ce qui m'est inaccessible, moteur du Désir et point de convergence du Désir) et au Temps. Ce qui me rejette dans une errance inéluctable.

Chestov ne souligne pas suffisamment que sa fameuse nécessité de philosophie ne fait que prolonger, dans une civilisation chrétienne, le *fatum*, le cycle d'éternelles répétitions qui dominaient avant l'apparition du salut personnel possible, avant l'apparition de la liberté. La nécessité est une façon de faire abstraction de la Révélation.

Assistant à une rencontre internationale d'écrivains, j'ai pris conscience que non seulement je ne pouvais pas exister sur le plan international en tant qu'individu d'une collectivité donnée, puisque cette collectivité n'a pas d'existence comme telle ni de statut, mais que je ne pouvais pas avoir d'existencc comme écrivain de telle communauté d'hommes si cette communauté nc me portait pas, ne donnait pas d'existence concrète et juridique à ma qualité de Québécois. Parmi les écrivains normaux des pays normaux je n'avais pas d'existence. Cette errance en écriture jusqu'au bout de mon propre désir, jusqu'à la limite extrême de mes capacités n'était pas supportée. Je fais partie d'une collectivité qui ne s'est pas proposée au monde comme un être collectif avec sa spécificité. (Nous sommes dans un «lieu très dramatique» dira l'écrivain brésilien Gerardo Mello Mourao. Il m'écrira même après son départ de Montréal: «J'ai le mal du Québec.» Tous les écrivains étrangers qui participeront «à la Rencontre québécoise internationale» — que je fonderai avec André Belleau et Jean-Guy Pilon — se rendront compte très rapidement de notre situation.) Bien entendu, comme ma communauté ne se reconnaît pas d'existence comme telle, le monde ne peut lui donner une existence qu'elle ne se donne pas à elle-même. Pour l'écrivain, c'est une tragédie que d'aller seul, dans un forcement de langage, sans que l'accompagnent des parlants, des croyants à la parole assumatrice. Face au monde, dans le monde, mon peuple ne m'assume pas comme écrivain, ne me porte pas; il n'établit pas l'une de mes qualités qui est d'être québécois. Et il n'est pas assuré qu'il me donnera cette dimension. Lui seul pourtant peut m'amener à l'existence pleine, à la maturité de l'être humain né d'un peuple et parlant ce peuple. Mon peuple doit m'achever, m'accomplir, me porter comme un miroir de son âme, comme une concrétion vivante de son être en parole. Tant que mon peuple ne m'aura pas reconnu, parce qu'il ne se sera pas reconnu lui-même, je serai en passion d'absence, de manque d'être, coupé de ma plénitude d'homme, des possibilités de ma propre ascension. Comme les ombres des morts je continuerai à errer sans apaisement possible, sans lieu mien, sans nom d'arbre.

Le corps de la femme désirée, pôle de toutes les énergies, de toutes les passions, n'est-il pas le lieu de la limite par excellence? Ne nous est-il pas donné pour que nous nous brisions contre la limite? On ne peut «posséder» davantage un «autre», on ne peut davantage se rendre compte qu'il n'y a pas d'issue dans ce qui est concret et fini. Logiquement, lorsqu'on s'est épuisé dans ce combat incessant, on devrait basculer dans l'infini, dans l'Être. Le corps si adorable de la femme ne nous serait-il pas donné pour tomber en lumière? N'offre-t-il pas la plus forte illusion d'une aventure, d'une errance dans un espace sans fin. La femme est cet espace illimité. Aucun espace, même le cosmos dans son infini, ne m'attire davantage. Alors l'esprit n'a peut-être d'autre recours que de se donner à l'Être avec la même passion. La femme serait le cosmos, la terre concentrée, et cela sans référence aux grandes images mythiques. La femme géante de Baudelaire est-elle autre chose? Elle est donc l'illusion de l'illimité le plus concrètement saisissable dans ses limites. Comment pourrais-je me rendre compte, autrement, des limites du cosmos apparemment illimité? C'est pourquoi je retourne toujours à la femme comme si j'étais attiré par la lumière, par la flamme, malgré le risque des brûlures mortelles. Suis-je encore dans l'aire du sacré? La femme est un leurre que nous tend le créé. La femme ou l'illusion de la moindre distance pour toucher Dieu.

J'ai pris conscience de mon *paysage intérieur* près de Montreux. Là j'ai senti que le lac Léman était la femme entre les cimes des Alpes et moi. Le lac me permettait de me reposer, de m'ébattre, de gagner du temps et de l'espace avant d'affronter les hauts versants et la neige, la lumière, le bleu. Le poème «Lac Léman» naîtra de cette intuition.

Chateaubriand bavarde, bavarde, puis soudain, comme chez Mozart, il y a passage, renversement. Il nous immobilise et nous tient bien à la gorge, comme si l'on avait atteint le bord d'un précipice. Le style s'ouvre. C'est la chute ou la montée dans une insaisissable suspension du temps.

L'obsession de l'Histoire, quelle maladie! Simone Weil a bien raison de nous rappeler à l'ordre du *présent*. Là est le véritable temps intérieur et l'éternité.

Le 22 janvier 1972, je suis parti pour Israël. Je devais prendre la parole à la Maison des auteurs de Jérusalem. Quelle émotion que d'ouvrir les yeux un matin depuis le mont des Oliviers! La vieille ville est saturée de soleil. Sur la coupole de la mosquée d'Omar l'or aimante le regard. La vallée de Cédron criblée de pierres tombales blanches semble appeler la terre à l'élévation. Tinte la cloche d'une église. J'ai rarement connu une émotion plus forte devant le réel. Jamais je n'ai vu une ville semblable enchâssée comme un rubis dans la lumière. Rien de plus beau ne m'a frappé. Et je ne parle pas de la descente vers la mer Morte à travers les collines de Judée, de l'oasis qu'est Jéricho avec ses orangers, ses bananiers. La région de la mer de Tibériade m'a particulièrement apaisé. Je ne peux repenser au mont des Béatitudes sans un tremblement de la mémoire. Le Sermon n'a pu être donné ailleurs que face à la mer, entre le Golan et le Tabor. Il y a là une telle évidence poétique que je n'ai nul besoin de la confirmation des historiens ou des archéologues. Et Capharnaüm avec les pierres dispersées de sa vieille synagogue. Pour la première fois, en parcourant cette terre, j'ai senti que c'était un lieu où je pouvais mourir sans regret. Je n'ai pas craint de déposer comme tout «croyant» un petit papier dans le vieux mur des Lamentations. J'ai même demandé la sérénité, la paix intérieure. Je ne sais si l'Éternel m'a écouté, mais lorsque je suis arrivé à Paris, mes amis ne m'ont pas reconnu. Je baignais dans une joie que je n'avais guère ressentie auparavant, dans une paix inouïe. Jamais je n'ai été aussi heureux à Paris. J'y ai vécu intensément, me nourrissant de tout et des tableaux comme jamais. La lumière des Simone Martini et Fra Angelico m'a sans doute atteint à ce moment-là. La lumière de Jérusalem y fut-elle pour quelque chose? On m'a dit que j'avais des signes d'une maturité (au sens de sagesse) qui étonnait. J'ai répondu que ce n'était pas le critère d'une longue vie. La mort ne me frapperait-elle pas plus rapidement? En fait, on n'atteint à une certaine plénitude que par rapport à une échéance de vie plus ou moins brève, par rapport à l'illumination qui a surgi en soi. La mort est peut-être l'illumination fondatrice, la pierre même (au sens alchimique) de l'expérience religieuse qui commence à jamais.

Aujourd'hui que je suis retourné à ma nuit, tout cela me semble avoir été vécu par un *double*. Je suis bien loin d'une sagesse. Je ne peux que me souvenir de cette lumière de Jérusalem, penser à mes compagnons de voyage, André Belleau et Jean-Guy Pilon, indissociables de cette mémoire qui ressuscite Jérusalem.

En lisant un article intitulé «Harmonie et contradiction à travers la philosophie chinoise depuis un siècle», j'ai constaté que l'auteur, Chinois et prêtre catholique, avait une conception bien utopique et cyclique lorsqu'il affirme qu'après l'action de la contradiction que connaît la Chine elle reviendra, comme un exemple pour le monde, vers la grande Entente, vers l'Harmonie confucianiste. Cela me prouve que l'auteur est bien demeuré chinois et qu'il a échappé à la tragédie de Job, solitaire qui revendique sa liberté jusqu'à la face de Dieu. Et pourtant, cela ne me semble pas lié à la notion de progrès, surtout collectif. Cela met plutôt en évidence la solitude tragique de notre destin individuel qu'a bien saisie la pensée juive non conceptuelle mais de tout temps existentielle. À côté de cette découverte, le rêve des internationalistes et des marxistes me semble aussi précaire que l'utopie de la grande Harmonie confucianiste. Vision optimiste de l'histoire s'opposant à une vue pessimiste? N'est-ce pas la notion de progrès continu, proprement occidentale, que je conteste pour y opposer le destin tragique de l'homme déchiré que fut Job? Tant qu'il y aura des Job qui n'accepteront pas, je crois que les utopies de l'Harmonie et du paradis marxiste seront bien frêles et vulnérables comme éléments dynamiques du destin profond des êtres. Quel est le moteur réel de la transmutation des êtres? L'Être? N'est-ce pas qu'en l'Être que les êtres peuvent se dénouer et se métamorphoser? La mort, alors, requiert un tout autre éclairage. C'est pourquoi la question de ce nouveau Job qu'est devenu Virgile sous la plume d'Hermann Broch me hante tant... J'en suis toujours à Job. Prométhée? Job ne désirait pas faire le don du feu aux hommes. Il était l'écorché dans toute sa solitude face à la puissance de l'Éternel. Il n'était pas parmi les dieux. Quelle figure troublante! Il ne faut pas chercher ailleurs les racines d'une attitude radicale de la conscience occidentale. Job laissait à Dieu le *salut* des hommes. Il ne luttait que pour délivrer son propre être. Quelle véritable nécessité! Virgile se demande s'il ne vaut pas mieux détruire l'*Énéide*... Broch nous propose donc l'image d'un Virgile solitaire et désespéré. Les raisons de la gloire d'Auguste me semblent bien vaines. N'y aurait-il d'autre raison d'accepter l'*Énéide*, que d'être davantage à l'image de Dieu? Parce que l'*Énéide* est la vie, s'ajoute à l'univers du créé, et ne peut que prolonger l'œuvre de Dieu? Se survivre à soi-même? Mais de quelle survivance peut-il bien s'agir, si ce n'est au cœur de Dieu, au cœur des hommes, si ce n'est dans une utopie d'amour universel? Seul Dieu peut fonder ce rêve. Quand le poète

Godofredo Iommi nous a parlé de sa ville rêvée à Viña del Mar, ne nous a-t-il pas entraînés en Utopie par le don de sa parole? ne nous a-t-il pas rapprochés de Dieu? Parfois, j'imagine mon ami chilien déambulant sur cette agora du désir, retourné, allant dans une avancée le long de la mer la plus tourmentée. Parfois, c'est Socrate lui-même qui s'est réincarné en Iommi. Parfois, mille êtres vivants marchent avec lui, venus de la véritable histoire de l'homme. Et leur marche aspire la terre dans l'abîme, un abîme où miraculeusement les êtres sont portés par leurs ailes et vrillent vers le soleil.

Lorsque je regarde mes enfants, que je les sens saturés de désirs, je vois bien qu'au fond ils sont malades de n'avoir pas d'ailes pour longer la mer et prendre leur envol. On leur propose des biens de consommation, on les met en mouvement sans cesse vers le vide, car c'est ce que la plupart du temps la télévision, cette nouvelle Église des valeurs, leur propose. Et je me sens fier d'eux, quand dans une seule remarque, ils laissent entendre qu'ils ne sont pas dupes, qu'ils sourient de ce néant où on voudrait les laisser choir. Ils ne sont pas toujours en éveil. La pression, sur eux, est considérable. Ils n'ont pas encore une grande énergie lumineuse canalisant tous ces désirs qui les assaillent pêle-mêle. Mais la plus âgée commence déjà à s'alléger, les ailes commencent à apparaître: la flûte, à travers Bach, Mozart, Debussy, la guide déjà le long de la mer. Bientôt ses ailes seront peut-être assez puissantes pour lui permettre d'approcher prudemment du soleil. Elle a cette légèreté des personnages de *L'Embarquement pour Cythère* de Watteau. Elle est au seuil large de la vie, à cet instant précis où tout l'horizon s'ouvre et s'illumine. Quel mystère que le destin! Quelle voie sublime! Comment ne pas trembler d'angoisse devant le moindre écart, la moindre possession, le moindre dérangement qui l'alourdiraient de plomb et de désespérance. Je me sens si impuissant...

Socrate, contrairement aux sophistes, ne joue pas la règle du jeu. Il est en marge de la Cité et on le perçoit ainsi. Il ne prépare pas des citoyens ni des individus au service de la Cité. Il œuvre insidieusement à l'éveil de leur âme. Les sophistes sont des étrangers de passage qui vendent leurs «outils», les commis voyageurs des idées reçues. Socrate est l'Athénien qui se nourrit des questions, des essences, le regard tourné vers la béance infinie de son désir. Avec lui, l'homme dirige un premier regard en soi-même, scrute l'invisible. À tous ceux qu'il accule à la non-connaissance, il pose la question dont nul ne sort indemne. Comment Athènes ne l'aurait-elle pas condamné?

Dodds (*Les Grecs et l'Irrationnel*) affirme que chez Homère on parle *des* dieux parce qu'on ne parvient pas à identifier *le* dieu dont il s'agit. Quel est cet agent surnaturel qui soudainement, au coin de l'acte, provoque un écart, souvent fatal, de la «conduite humaine normale»? On attribue aux dieux les irruptions de l'inconscient. Dès que les dieux touchent Achille, il se dérègle, il entre en fureur, il est le possédé qui attire l'infortune. Comme Achille est «ailleurs», les dieux sont l'alibi parfait de sa passion et de ses pulsions. Il peut s'avancer, coupé de tout lien, en provoquant l'éclatement du monde. On voit la différence entre Achille et Job, entre Achille et Jacob.

François Fédier a bien dit du *sacré* en affirmant qu'il est la «sanction originelle et originante d'une existence authentique». «À l'homme, dit Aristote, de par sa station droite, appartient seul parmi les vivants d'avoir la partie haute dans le sens du haut du Tout.» L'homme émerge, en sa verticalité, de l'entièreté. Par le sacré il relie les êtres à l'Être. Le sacré définit son unicité. Ce n'est que par l'homme se dressant religieusement pour l'accomplissement des «choses mondes», que l'entièreté est maintenue dans son rapport à l'Être. «Le sacré, ajoute Fédier, ne serait-ce donc pas ce sans quoi rien ne peut jamais être entier, que ce soit le monde, que ce soit même n'importe quoi?» Dans cette vision, nous savons depuis Pindare que nous «avons quelque rapport avec les Immortels par la sublimité de l'esprit et aussi par notre être physique». Depuis les Grecs, la poésie, le poème, est la manifestation glorieuse du sacré et de l'Être. La poésie, comme l'a dit Platon, permet l'accomplissement de l'étant. Il y a en quelque sorte une mutation dans la qualité même de l'être. Ungaretti, a souligné Philippe Jaccottet, «ne pouvait pas concevoir un poème qui ne soit une recherche du sacré». Hölderlin n'a pas eu d'autre passion désespérée. «Le sacré soit ma parole», dit-il. Comment n'aurait-il pas ressenti plus vivement que quiconque l'absence inouïe, l'effondrement même de l'entièreté, depuis que les hommes se refusent «d'avoir la partie haute dans le sens du Tout»? De là, comme conséquence inévitable, la désespérance en la poésie même. Puisque la poésie ne peut que travailler le dire du «haut du Tout».

J'en suis arrivé à croire que tout ce qui est de l'ordre de la *perception* ne serait pas essentiellement de l'ordre du langage poétique.

> [...] le but de l'art est de figurer le sens caché des choses et non point leur apparence [...] la création poétique est plus vraie que l'exploration méthodique de ce qui existe (Aristote).

En fait, tel oiseau précis, bien capté par l'œil, demeure, dans sa réalité unique, insaisissable par les mots. C'est pourquoi la fonction propre du langage serait de refléter ce qui n'est pas *piégeable* par les sens, c'est-à-dire la relation, par exemple, de l'oiseau saisi dans le réseau d'une entièreté qui me soit propre et qui échappe aux sens. (Tout cela ne serait-il pas digne tout au plus des raisonnements de Pécuchet? L'odyssée de Bouvard et Pécuchet dans la connaissance entraîne pourtant un effritement de tout ce qu'ils tentent d'appréhender. Avec eux notre connaissance se dissout, nous nous désintégrons, nous ne saisissons rien.) C'est ce qu'on n'a pas compris quand on a prétendu que, contrairement à ce que j'affirmais, l'oiseau était inépuisable, qu'on n'en finirait pas d'en tenter la saisie. Certes! Il ne s'agit pas surtout de l'oiseau vu par l'œil, mais bien de l'oiseau surpris par les sens et intégré dans une vision imaginaire, dans le réseau de mon entièreté, la seule dont je sois responsable. Si je ne réussis pas à maintenir le lieu (le religieux), certaine entièreté de l'univers lui-même s'écroule. La fonction poétique appelle à la fois la plus grave humilité et la passion la plus aiguë de la gloire de l'Être, des êtres. C'est par cette célébration, comme le croyait Pindare, que nous nous maintenons dans l'être.

C'est pourquoi j'ai pu écrire dans une adresse en hommage à Pierre Jean Jouve:

> Vous avez écrit: «Toute poésie est à Dieu.» «Au

milieu de ma vie», je suis bien près de croire que le langage n'émerge en l'homme que pour lui révéler l'*invisible* par la voie étroite. Cette épiphanie n'est imaginable qu'à travers la ré-animation organisée des images premières de la matière. Le langage ne connaît pas l'hirondelle, le dauphin ou le cerf. Il ne connaît ni l'air, ni l'arbre, ni la pierre, ni l'eau. Il ne prétend point au savoir méthodique, patient et réfléchi de ce qui est sensible et perceptible; il ne cherche ni un modèle de structure ni la loi d'un mouvement. Le langage pénètre l'unicité matérielle du cerf, pour débusquer en lui les traces de quelque esprit. Ne communique-t-il pas autre chose que l'incommunicable? Peut-être ne parvient-il à sa plus grande force opératoire, que lorsqu'il pressent l'ineffable, le cerne et le transfigure en musique fulgurante. Alors, sans doute, peut-on évoquer les transmutations de la véritable alchimie, lesquelles consistent à laisser apparaître les âmes dans la multiplicité de leur noyau unique; les âmes qui se rassemblent en vue de l'élévation éternelle. Car le langage est un révélateur de ce qui s'envole ou de ce qui agonise dans la ténèbre. Par lui on sent l'esprit se détruire de désespérance, comme on l'entend moduler dans l'alouette. Nc serait-ce point la seule connaissance qu'il nous transmette? Et s'il n'était apparu que pour s'adonner principalement à sa tâche surhumaine qu'est la *mise en éternité*… et la préservation des signes du passage de Dieu?

Ne sommes-nous pas comme le héros des *Amis* (de Tieck) assis sur le tronc d'un arbre abattu? Comment savoir que nous ne rêvons pas, que nous ne nous réveillerons pas d'un instant à l'autre, que quelque chose ne surviendra pas, que l'arbre lui-même, comme l'espéraient les Ojibwas, ne se redressera pas? Nous ne serions qu'en sursis? Eh bien, à tout moment l'univers ne peut-il pas s'effondrer? Ne sommes-nous pas sur une voie fantastique qui ne peut donner que sur la calamité? Il ne nous resterait que l'*amour*, passion à la fois de l'infini et de la présence la plus circonscrite.

> Quand parmi d'autres femmes j'aperçus mon amour Non que les autres fussent à mes yeux des femmes, Elles dont les corps ne semblaient que ses ombres.

Cher Guido Cavalcanti! L'amour serait cette «transition entre la mortalité et l'immortalité», dont parle Friedrich Schlegel dans sa *Lucinde*? L'amour serait le seul tunnel de *passage*: le désir serait la seule réalité du tunnel? Nous *allons*, nous sommes en lancée, ou nous pourrissons sur place, comme des racines mortes. Pourquoi l'oiseau au-dessus de l'abîme ne viendrait-il pas de la terre, ne serait-il pas la terre ailée — lui qui va en «bleuité aimable» —, comme l'arbre qui pénètre la terre de nos morts? Et si l'oiseau était de l'arbre qui, n'en pouvant plus d'aspirer, de désirer, de se verticaliser, est devenu, comme l'alouette, un noyau de chant et d'esprit? On sent bien que l'arbre qui entre en lumière solaire prend son envol, qu'il est fait pour la montée. Ne serions-nous pas des arbres qui, à travers la nuit de l'amour (passion, souffrance, béance torturée par la force du désir), deviennent des oiseaux, des oiseaux chantant pour la gloire de tout ce qui s'élève avec eux, de tout ce qui va apparaître sous le soleil?

La lumière et mon corps. La lumière et moi réunis par un lien sacré, indicible. La mort et mon corps. Et si cet éblouissement, cet indicible, n'avait été qu'une expérience anticipée de la mort? Si la mort ne m'avait pas quitté depuis? Si elle s'était manifestée par la lumière foudroyante dont j'ai rendu compte en rendant compte de Novalis, cette lumière dont je ne pouvais parler que médiatement, ambigument, en choisissant Novalis comme miroir? J'ai parfois l'impression que la véritable écriture ne commence qu'avec l'éclatement inattendu des parois du crâne... Mourir, c'est peut-être l'acte de l'être qui *s'écrit* instantanément. Mon unicité s'écrivant à jamais pour *toi*, pour *Lui*. Serai-je alors enfin libéré de la faim, du désir? Le terrible, c'est que la vie, la béance que produit la faim, comme son œuvre singulière, est l'ouverture où tout s'engouffre, et d'abord le désirant, l'affamé. Je m'engloutis dans ma propre faim. Comment vivre si je ne suis pas saisi par l'autre, par toi, si je ne suis pas relié à celui qui comble le désirant, à celui en qui s'enclôt le vide infini? Ne serait-ce pas le noyau de l'éternelle expansion, ce qui remplit à jamais la plénitude de l'infini? Le plus grand mal du mortel s'éteindrait en Lui?

FERNAND OUELLETTE

Poète, romancier et essayiste, Fernand Ouellette est né à Montréal le 24 septembre 1930. Après avoir fait son cours classique au Collège Séraphique d'Ottawa, il s'inscrit à l'Université de Montréal où il obtient une licence ès sciences sociales en 1952. Commis-voyageur au service des Éditions Fides (1952-1960), il commence à publier ses poèmes en 1953 dans divers périodiques.

À partir de 1955, il rédige plusieurs textes sur des écrivains français et étrangers pour Radio-Canada, puis, de 1958 à 1964, quelques commentaires de film pour l'Office national du film du Canada. Toujours en 1955, il entreprend une importante correspondance avec Pierre Jean Jouve et Henry Miller, et, en 1957, avec Edgard Varèse dont il se fait par la suite le biographe. Cofondateur de la revue *Liberté* dont il devient rédacteur en chef en novembre 1960, il entre le mois suivant au service de Radio-Canada où il travaille toujours, à titre de réalisateur d'émissions culturelles à la radio FM. De 1966 à 1968, il est membre de la Commission d'enquête sur l'enseignement des arts au Québec, présidée par le sociologue Marcel Rioux avec lequel il participe à la rédaction du premier tome du rapport.

Depuis 1967, Fernand Ouellette fait de fréquents voyages en Europe, aux États-Unis, et se rend en Israël (1973) où il donne une importante conférence à la Maison des auteurs de Jérusalem. Invité à l'Université du Québec à Montréal (1970-1971), il participe avec André Belleau à un séminaire sur le Romantisme allemand. Cofondateur de la Rencontre québécoise internationale des écrivains (1972) dont il s'occupe activement durant sept ans, il participe aussi à de nombreux colloques internationaux: Colloque sur la poésie à l'Université de New York (1971), Colloque sur la poésie québécoise à Marly-le-Roy (1972), Colloque internationale de Strasbourg (1983) à l'occasion du centenaire de la naissance d'Edgard Varèse, Colloque des Radios publiques de langue française (1987) à Redu en Belgique. À partir de 1977, il dirige un atelier de création littéraire à l'Université d'Ottawa et, par la suite, plusieurs ateliers similaires à l'Université Laval de Québec. De 1979 à 1985, il tient dans la revue *Liberté* une chronique régulière, «Lectures du visible», consacrée à l'art et aux peintres. Poète invité à l'Université de Turin (1984), il y donne des cours pendant un mois, et des conférences à Milan et à Rome. À la suite de la parution, à Rome, d'une anthologie de sa poésie sous le titre de *Nella notte il mare*, il donne en 1986 une série de conférences à travers l'Italie.

Le 2 février 1975, Fernand Ouellette est l'invité de l'émission télévisée *Rencontre* de Radio-Canada dont une copie sur film est ensuite diffusée par l'Office national du film. Le 27 décembre 1978, l'émission télévisée *Femmes d'aujourd'hui* propose un document qui lui rend hommage, avec entretiens et lectures de textes. Le 5 novembre 1986, il est reçu membre du «Cercle des bâtisseurs Molson», sur recommandation du Comité exécutif de Ville de Laval, honneur réservé à cent Québécois.

Ses textes et poèmes ont été traduits dans une dizaine de langues. Des prix importants ont couronné ses œuvres: le Prix France-Québec (1967) pour sa biographie *Edgard Varèse* (rééditée en 1987 chez Christian Bourgois); le Prix du Gouverneur général (1971), qu'il a alors refusé, pour *Les Actes retrouvés*; le Prix France-Canada (1972) pour *Poésie* aux Éditions de l'Hexagone; le Prix de la revue *Études françaises* (1974) pour son autobiographie *Journal dénoué*; le Prix du Gouverneur général (1986) pour son roman *Lucie ou un midi en novembre*; le premier Prix de poésie du *Journal de Montréal* (1987) pour *Les Heures* aux Éditions de l'Hexagone; le Prix Athanase-David (1987) pour l'ensemble de son œuvre.

BIBLIOGRAPHIE

Ces anges de sang, poésie, Montréal, l'Hexagone, 1955.

Séquences de l'aile, poésie, Montréal, l'Hexagone, 1958.

Visages d'Edgard Varèse, essai, sous la direction de F.O., Montréal, l'Hexagone, 1960.

Le soleil sous la mort, poésie, Montréal, l'Hexagone, 1965.

Edgard Varèse, biographie, Paris, Seghers, 1966.

Dans le sombre, Montréal, l'Hexagone, 1967.

Les actes retrouvés, essais, Montréal, HMH, 1970.

Poésie (1953-1971), Montréal, l'Hexagone, 1972.

Depuis Novalis, essai, Montréal, HMH, 1973.

Journal dénoué, autobiographie, Montréal, Les Presses de l'Université de Montréal, 1974.

Errances, poésie, Montréal, Éditions Bourguignon +, 1975.

Ici, ailleurs, la lumière, poésie, Montréal, l'Hexagone, 1977.

Tu regardais intensément Geneviève, roman, Montréal, Les Quinze, 1978.

Écrire en notre temps, essais, Montréal, HMH, 1979.

À découvert, poésie, Québec, Éditions Parallèles, 1979.

La mort vive, roman, Montréal, Les Quinze, 1980.

En la nuit, la mer, poésie (1972-1980), Montréal, l'Hexagone, 1981.

Éveils, poésie, Montréal, L'Obsidienne, 1982.

Lucie ou un midi en novembre, roman, Montréal, Boréal Express, 1985.

Les Heures, poésie, Montréal, l'Hexagone, Seyssel, Champ Vallon, 1987.

TABLE

DÉJÀ PARUS

1. Gilles Hénault, *Signaux pour les voyants*, poésie, préface de Jacques Brault (l'Hexagone)
2. Yolande Villemaire, *La vie en prose*, roman (Les Herbes Rouges)
3. Paul Chamberland, *Terre Québec* suivi de *L'afficheur hurle*, de *L'inavouable* et d'*Autres poèmes*, poésie, préface d'André Brochu (l'Hexagone)
4. Jean-Guy Pilon, *Comme eau retenue*, poésie, préface de Roger Chamberland (l'Hexagone)
5. Marcel Godin, *La cruauté des faibles*, nouvelles (Les Herbes Rouges)
6. Claude Jasmin, *Pleure pas, Germaine*, roman, préface de Gérald Godin (l'Hexagone)
7. Laurent Mailhot, Pierre Nepveu, *La poésie québécoise*, anthologie (l'Hexagone)
8. André-G. Bourassa, *Surréalisme et littérature québécoise*, essai (Les Herbes Rouges)
9. Marcel Rioux, *La question du Québec*, essai (l'Hexagone)
10. Yolande Villemaire, *Meurtres à blanc*, roman (Les Herbes Rouges)
11. Madeleine Ouellette-Michalska, *Le plat de lentilles*, roman, préface de Gérald Gaudet (l'Hexagone)
12. Roland Giguère, *La main au feu*, poésie, préface de Gilles Marcotte (l'Hexagone)
13. Andrée Maillet, *Les Montréalais*, nouvelles (l'Hexagone)

14. Roger Viau, *Au milieu, la montagne*, roman, préface de Jean-Yves Soucy (Les Herbes Rouges)
15. Madeleine Ouellette-Michalska, *La femme de sable*, nouvelles (l'Hexagone)
16. Lise Gauvin, *Lettres d'une autre*, essai/fiction, préface de Paul Chamberland (l'Hexagone)

Cet ouvrage
a été achevé d'imprimer
sur les presses de l'Imprimerie Gagné
à Louiseville en janvier 1988
pour le compte des
Éditions de l'Hexagone

Imprimé au Québec (Canada)